ASCENSÃO E QUEDA DO IMPÉRIO X

SERGIO LEO

ASCENSÃO E QUEDA DO IMPÉRIO X

Eike Batista e as jogadas, as trapaças e os bastidores da história de uma fortuna de mais de US$ 34 bilhões que virou pó

Sumário

Agradecimentos

Este livro teve a cooperação de pessoas ligadas ao governo federal e a governos estaduais, antigos executivos de empresas do grupo EBX e executivos do setor de petróleo, amigos de Eike Batista e especialistas que, por motivos diversos, preferiram ficar no anonimato. Gostaria de expressar aqui minha gratidão a eles pelas informações e documentos a que me deram acesso.

Agradeço a Aurélio Valporto e a Adriano Mezzomo, representantes dos acionistas minoritários prejudicados pela aventura empresarial de Eike Batista; e ao professor Roberto Moraes, responsável por um trabalho sério de pesquisa no Norte fluminense que o levou a acompanhar com interesse a ação de algumas das principais empresas X na região.

E agradeço também aos jornalistas cujos trabalhos me deram referências e informações inestimáveis para a composição dessa crônica da constituição e desmonte de um passageiro colosso empresarial. Minha consideração e obrigado para Alexa Salomão, Cláudia Schüffner, Consuelo Dieguez, Denise Luna, Fernando Scheller, Juliana de Souza, Kamila Fernandes, Lauro Jardim, Leonardo Attuch, Luiz Maklouf Carvalho, Malu Gaspar, Marcos Moura e Silva, Marília Gabriela, Marina Durão, Mário Magalhães, Marta Salomon, Raquel Landim, Renata Agostini, Vera Durão e outros que levantaram detalhes importantes sobre a história e geografia do Império X e seu soberano, algumas vezes esquecidos ou subestimados pelos que confiaram expectativas e economias em um projeto infelizmente fracassado.

Sobretudo, agradeço a Einar Rivero e Bruno Pantoja de Godoy, da Economática, que organizaram, a meu pedido, dados sobre os balanços e a evolução dos preços das ações das empresas X, nos quais me baseei para o relato deste livro.

1. Histórias exóticas de um excêntrico bilionário

Rio de Janeiro, manhã de sábado, dia de sol. Frequentadores do trecho da praia de Ipanema ao lado do posto de salvamento número 9 — o "posto 9", preferido por parte da elite e da intelectualidade carioca — foram surpreendidos ao chegar à barraca do Batista, a de número 81, entre as diversas barracas de venda de bebidas e aluguel de cadeiras de praia. Um novo letreiro de lona anunciava o nome do empreendimento: "Batista 81X."

"Ô Batista, o que é esse 'X'?"

"É o 'X' do Eike. Ele usa para multiplicar os negócios dele, meti o 'X' para multiplicar o meu."

O ano era 2010. No ano seguinte, a letra do alfabeto adotada para incrementar o marketing do vendedor de praia apareceria em bancas de jornal e livrarias, na capa da autobiografia de um empresário, por coincidência, com o mesmo sobrenome, Eike Batista. Nas 160 páginas do livro *O X da questão*, o executivo, auxiliado pelo jornalista e amigo Roberto D'Ávila, iria contar uma história de sucesso — de seus primeiros esforços para ganhar dinheiro aos vinte anos vendendo seguros na Alemanha até sua escalada ao posto de maior bilionário do Brasil e sétimo do mundo, no comando do grupo EBX.

O X acrescentado ao letreiro, na praia, era, na verdade, ordem da Prefeitura, para diferenciar outra barraca com o mesmo número, uma das medidas para organizar o comércio informal no litoral da cidade. Mas João Batista, um comerciante de 53 anos, achou que ficaria bem com a clientela mencionar o empresário Eike Batista como inspirador. Nos meses que antecederam o lançamento de sua autobiografia, o criador do grupo EBX já era um modelo nacional de sucesso, e continuaria assim por muito tempo.

"Ele vai sair dessa", insistia Batista, o João, de short e camisa brancos, atendendo aos clientes que lotavam as cadeiras em torno de sua barraca de praia, em outubro de 2013. Uma semana depois seria decretada a recuperação judicial da principal estrela do grupo EBX, a empresa OGX, afundada em dívidas e previsões fracassadas de produção.

Nunca um empresário na América Latina caiu de tão alto em tão pouco tempo. Em outubro de 2010, o valor das cinco empresas do grupo X negociadas na bolsa de valores ultrapassaria R$ 95 bilhões. Desse total, mais de R$ 72 bilhões eram ações da OGX, a empresa de petróleo criada por Eike três anos antes, com capital de grandes investidores privados. O empresário era classificado como o maior bilionário do Brasil e um dos dez maiores do mundo. Era o auge de um grupo empresarial iniciado na década de 1980, quando Eike, após iniciativas de sucesso na exploração de minas de ouro no Brasil, foi convidado a se associar a uma mineradora de porte modesto no Canadá, a Treasure Valley Explorations Ltd., que ele dirigiu e renomeou em 1986 como TVX Mining Corp. e, depois, TVX Gold Inc.

TVX era o símbolo da Treasure Valley na bolsa canadense. Eike atribuiu à sigla um significado próprio, incorporado a suas futuras empresas: o "X", como aprendeu o Batista de Ipanema, representava o símbolo da multiplicação, segundo explicou o Batista empresário em seu best-seller autobiográfico e em infindáveis entrevistas. Acrescentar "X" ao nome dos empreendimentos não era apenas superstição, mas também uma jogada de marketing, esporte em que o empresário se mostrou campeão.

"Quem se depara com a letra a associa mentalmente a uma operação matemática, a algo que se torna muitas vezes maior", escreveu Eike. "Entendi que o 'X' era um bom augúrio e decidi seguir com ele." Trinta anos após a primeira empresa X, no desmonte do império empresarial, o "X" seria simbolicamente descartado, com a mudança de controle das companhias. O próprio empresário aprovou, durante os esforços de salvamento do grupo, a decisão de mudar o nome de seus empreendimentos e arquivar a letra, já não mais sinal de sorte nem marca de sucesso.

Durante um período entre quatro e cinco anos, porém, da consolidação do grupo até o abandono da marca que lhe servia de amuleto, a trajetória das empresas X e de seu comandante foi inspiradora, não só para os negócios feitos na informalidade da praia carioca. Em agosto de 2012, uma pesquisa da empresa de recrutamento de mão de obra Cia de Talentos, com 46,1 mil universitários e recém-formados, revelava que o "líder dos sonhos" dos jovens, à frente de Bill Gates e Barack Obama, era ele, Eike Batista, que repetiria o resultado em 2013, quando os resultados das empresas X já não eram nem de longe indicadores de grande sucesso.

Empolgação de estudante? Longe disso: em junho de 2012, a Federação das Indústrias do Estado de Minas Gerais o elegeu "Industrial do Ano" e dedicou 38 páginas da publicação da entidade sindical a uma elogiosa biografia do empresário. Em janeiro daquele ano, Eike contaria à revista *Veja* ter sido abordado, enquanto corria, por um "imigrante nordestino", que lhe perguntou se sabia da importância de seu exemplo para quem sonha subir na vida. "Ele me abraçou e começou a chorar. Chorei junto. Nunca imaginei algo assim", disse Eike à jornalista Malu Gaspar.

No mesmo ano, pela segunda vez seguida, a revista *CartaCapital* apontaria Eike como o mais admirado do Brasil, na escolha de 1.212 executivos brasileiros. Em março de 2013, uma pesquisa da revista *Pequenas Empresas & Grandes Negócios*, com 3,6 mil empreendedores, também o colocou em primeiro na lista de líder empresarial mais admirado, à frente de executivos de grande destaque como Antônio Ermírio de Moraes, do grupo Votorantim, Jorge Gerdau, do poderoso grupo siderúrgico que leva seu nome, e Luiza Trajano, do Magazine Luiza, empresária-modelo especializada em roupas no varejo, que chegou a ser cotada para um ministério.

Uma edição especial da revista *Exame*, em junho de 2012, divulgava uma pesquisa com grandes executivos brasileiros que também apontava Eike como o mais admirado entre seus pares. No ano seguinte, apesar das dificuldades que a EBX passaria a enfrentar, o executivo ainda ocuparia o segundo lugar em pesquisa semelhante. Ele se mostrava muito mais do que um sucesso: era um exemplo a seguir, mesmo após 2012, quando notícias sobre maus resultados nas empresas X derrubaram expectativas e carteiras de investimentos dos acionistas, e cada R$ 1 em ações do grupo passaria a valer menos de R$ 0,10.

No auge da trajetória de Eike e sua corporação X, o ambiente global era favorável aos ousados, especialmente nos chamados mercados emergentes. Gestores de fundos bilionários no exterior eram pressionados pelos investidores a aumentar a rentabilidade de suas aplicações financeiras, em um mundo no qual juros dos países desenvolvidos eram negativos, abaixo da inflação, e começavam a escassear opções de onde arrancar bons rendimentos.

A economia brasileira se destacava entre os países em desenvolvimento, parecia atravessar sem danos aparentes a crise desencadeada pelo estouro da bolha imobiliária nos Estados Unidos em 2007 e chegaria ao ano de 2010 com um estonteante crescimento anual de 7,5%, o maior desde 1986, quando o país viveu a euforia do primeiro grande plano contra a hiperinflação, o Plano Cruzado.

A boa vontade com o Brasil foi animada pela riqueza de seus recursos naturais, pelo grande número de oportunidades em seu mercado e pela política econômica dos Estados Unidos — o FED, o correspondente americano ao Banco Central, decidira, entre novembro de 2008 e agosto de 2010, despejar mais de US$ 2 bilhões na economia para enfrentar a desaceleração econômica provocada pela crise financeira iniciada em 2007. Em novembro de 2010, o BC americano anunciou que, por meio da compra de títulos de dívida do governo, usaria mais US$ 600 bilhões nesse esforço de reanimação econômica. Boa parte desse impulso monetário, administrado pelo presidente do FED, Ben Bernanke, levou pessoas e empresas a buscar rendimento nos mercados emergentes, onde investidores viram maior chance de retorno para seu dinheiro.

"Bernanke implora para que especulemos, e nós somos obedientes", ironizou, em sua carta trimestral de abril de 2010, o economista Jeremy Grantham, analista respeitado pela quantidade de acertos passados em suas previsões sobre a economia americana e mundial. Poucos, como Grantham, já estavam preocupados com a formação de bolhas especulativas sopradas pelo chamado "afrouxamento monetário" promovido pelo FED.

Para muitos, Eike é fruto e caroço dessa euforia especulativa, que anestesiou o espírito crítico de analistas de investimento e contagiou fundos estrangeiros e pequenos poupadores nacionais. Após a implosão do grupo EBX, espalharam-se, por *Twitter*, *Facebook* e fóruns de discussão, relatos de milhares de investidores desiludidos com o ilusionista que os convenceu a apostar economias e expectativas em um projeto de potência econômica convertido rapidamente em delírio arruinado.

Até hoje, porém, há quem o veja como um visionário. Um dos raros empresários brasileiros com disposição para começar do zero, mesmo sem ajuda do Estado para dar os primeiros passos. Alguém com pecados gerenciais e excesso de audácia, mas responsável por projetos ambiciosos que terão impacto perene e positivo na infraestrutura do país. O Brasil, dizia o maestro Tom Jobim, não é para amadores; as empresas EBX, plataforma gigantesca e efêmera do homem que chegou a alcançar a maior fortuna individual da história do país, também desafiam até hoje explicações simplificadas.

Com sua capacidade de convencer as pessoas, seu estilo que mistura ostentação, entusiasmo, simpatia e simplicidade no discurso, sempre elogioso ao enorme potencial da economia brasileira, o mineiro Eike Batista, de Governador Valadares, tornou-se um ídolo na cidade que escolheu para viver, o Rio de Janeiro, onde ganhou o título de cidadão honorário em 2006. Há muito tempo acostumados com a perda de importância da antiga capital federal para São Paulo, o maior centro empresarial do país, os cariocas viram nele "seu" empresário, com estilo totalmente distinto do comportamento em geral reservado e cauteloso dos executivos paulistas.

Eike mobilizou também a imaginação popular ao aparecer como um milionário triunfante por seus próprios esforços, graças a lances arriscados e visão estratégica. Ganhou apoio entusiasmado do então presidente, o ex-metalúrgico Luiz Inácio Lula da Silva, e não teve dificuldades em conquistar amizades na oposição, como quando obteve do então governador de Minas Gerais, Aécio Neves, apoio legal para obrigar proprietários de terra a dar passagem a um duto de transporte de minérios, entre as montanhas mineiras e o litoral fluminense.

Era do que o governo precisava: um empresário bem-sucedido, com coragem para iniciar grandes projetos de investimento a partir do zero, e sempre disposto a elogiar a política econômica. Parecia ser um modelo concebido na medida para os empreendedores que começavam a se multiplicar com o aparecimento de uma nova classe média: um empresário vencedor por seu próprio esforço, sem vergonha de ser rico e com lições de sucesso a compartilhar. Uma prova de que o mesmo governo capaz de tirar quarenta milhões da pobreza gerava o caldo de cultura dos verdadeiros empreendedores. Foi a delícia dos colunistas na imprensa: uma celebridade exuberante e disposta a alimentar histórias picantes ou sensacionais, muito bem-vindas nas redações em busca de novidades de impacto.

O rosto visível do grupo EBX era um bilionário *comme il faut*: poliglota, na época casado com uma das mulheres mais bonitas do país, Luma de Oliveira, ex-modelo da *Playboy*, celebridade famosa e provocante, rainha de bateria de escola de samba que atravessou a avenida, no desfile de Carnaval, com roupas minúsculas e uma coleira cravejada de brilhantes com as letras "E", "I", "K" e "E" em maiúsculas reluzentes. Eike era acompanhado pela aura de vitorioso e arrojado — foi recordista e campeão mundial em motonáutica offshore, um dos mais perigosos esportes motorizados — e colecionava excentricidades.

Ah, as excentricidades... Além do hábito de usar o "X" no nome de todas as empresas para multiplicar resultados, exigia que os valores de seus contratos terminassem em 3, que acreditava trazer-lhe boa fortuna por coincidir com o dia de seu aniversário. Após vencer a primeira competição importante com uma lancha de número 63, adotou a dezena como número de sorte e a incluía entre os centavos de todas as transações financeiras importantes que fazia e nos lances oferecidos por ele para compra de blocos de exploração de petróleo no Brasil.

Ele levou para a vida madura a fascinação da infância com a civilização Inca, cujo símbolo, o Sol, orna o logotipo do grupo que fundou. Adepto das regras orientais do Feng Shui, que determinam como deve ser a arquitetura dos ambientes para trazer maior harmonia à vida de seus proprietários, enterrou uma barra de cobre sob a sede do grupo EBX, mantinha imagens de guerreiros incas em sua mesa sempre voltados em direção aos visitantes e posicionava a mesa de frente para a porta de entrada, na expectativa de "controlar as energias" que chegavam ao escritório.

O próprio Eike contou que costumava consultar-se com videntes. No fim dos anos 1990, antes de sua disparada para o primeiro bilhão, seguiu o conselho de uma cartomante visitada no Rio de Janeiro e viajou a Cusco, no Peru, e em seguida às margens do lago Titicaca, onde, respirando o ar rarefeito daquelas alturas, passou alguns minutos observando o céu, como fora instruído, para "reordenar o cosmos e realinhar a linha da vida".

Alinhado ou não, o dia a dia de Eike nos anos seguintes incluiu outros rituais, como o hábito de assinar contratos sempre próximo a fontes de água, o que pensava trazer-lhe energias positivas. Chegou a mudar a inclinação dos raios de sol do logotipo da EBX depois que uma vidente lhe disse que estavam orientados para trás e eram responsáveis pelos reveses nos negócios.

Além de empresário atento às tendências econômicas e oportunidades de negócio, Eike era o maior garoto-propaganda de seu empreendimento, em uma época de culto exuberante e irracional às celebridades. O grande grupo empresarial, diferentemente de tantos megaempreendimentos no Brasil, tinha a face risonha e célebre de seu executivo em constante movimento, com porte atlético, confessado implante no cabelo e retórica encantadora, disposto a se deixar fotografar com sua Mercedes SLR McLaren estacionada na sala de estar, ou ao lado de um dos motores de sua lancha de corridas, exposto sobre o piso de mármore do hall de entrada da própria casa.

Podia existir riqueza igual, mas não tão espetacular. Um magnata associado a grupos empresariais de fama internacional. A personificação do sucesso. Um executivo capaz de conquistar o que quer que desejasse.

Entre diversos negócios, o empresário montou até um restaurante, o Mr. Lam, inaugurado em 2006 com o nome do chef chinês que importou de Nova York. Eike fazia do mezanino do restaurante uma sala de reuniões, equipada de uma adega de aço escovado desenhada pela Porsche e abastecida com uma coleção de garrafas de champanhe Veuve Clicquot. Às vezes, reunia-se no primeiro andar. O local fez sucesso imediato, sempre cheio de clientes. Acostumados a conversar aos gritos durante as refeições fora de casa, os cariocas, se não faziam um silêncio reverente, abaixavam a voz e se cutucavam nas mesas à passagem de Eike, seu séquito de seguranças, convidados e modelos belíssimas, saindo ou chegando ao local. Ali, o empresário e seu grupo tinham sempre reservada uma mesa para dez lugares, com um tampo de vidro onde o empresário instalou o motor Lamborghini da lancha que lhe deu o título de campeão de motonáutica offshore.

Para uma cidade que costuma brindar com indiferença — real ou fingida — a presença de seus artistas e famosos em locais públicos, a relação do Rio de Janeiro com Eike era de reverência carinhosa.

(Em seu restaurante favorito ou em viagens e encontros de trabalho, uma característica notada apenas pelos que tiveram alguma convivência com Eike Batista é seu inacreditável apetite. O empresário, em viagens de negócio, já foi visto almoçando duas vezes seguidas, sempre com pratos generosos. Costuma continuar se servindo à mesa quando seus comensais já não imaginam como ainda encontra ânimo para comer. E sua forma física, cerca de oitenta quilos bem-ajustados em 1,80m de altura, comparada à quantidade de alimento que ingere, lembra a amigos a capacidade de algumas modelos de recorrer a artifícios diversos para evitar que a gula lhe traga gordurinhas indesejáveis. Essa fome que não engorda faz parte do folclore de Eike entre os conhecidos.)

Eike não era muito bem-visto nos altos círculos do empresariado paulista, incomodado com sua despudorada exibição de riqueza e seu histórico misto de sucessos e fracassos. Ele mesmo brincava com essa rivalidade, dizendo lançar projetos "MPI — Mata Paulista de Inveja", com a qualidade da metrópole rival e a malemolência carioca. Mas não foi só o Rio de Janeiro que abraçou esse empresário aparentemente insaciável como símbolo de um novo capitalismo possível.

A imagem pública de Eike Batista foi, com frequência, mencionada por outros executivos como exemplo para o setor privado nacional. Seus discursos otimistas eram recebidos com boa vontade na maioria das entrevistas jornalísticas que prodigalizava. Analistas de investimento deram a seus projetos olhares benevolentes, e a mídia o celebrou como personalidade admirável.

Como ele mesmo não cansava de falar, vinte anos de trabalho duro, na maior parte dedicados ao setor de mineração, haviam antecedido sua ascensão a celebridade nacional e a fundação do grupo EBX. Filho de um ex-ministro e ex-presidente da maior mineradora do país, a então Vale do Rio Doce, Eliezer Batista, considerado um dos mais notáveis estrategistas do país, Eike, na infância e por muito tempo, manteve distância do pai, que, arrastado por sucessivas viagens em sua vida de executivo internacional, deixou a tarefa de criação dos sete filhos à esposa, Jutta Fuhrken.

Mulher exigente, nascida em Hamburgo, na Alemanha, a mãe de Eike criou os filhos praticamente sozinha na Europa. Costumava submetê-los a uma rígida disciplina, desde muito novos; e, ao chegar ao Rio de Janeiro, matriculou-os numa escola alemã.

Em sua autobiografia, o executivo usa palavras carinhosas para a mãe, que, segundo ele, alternava "rigor e delicadeza" e via o mundo como palco de "uma prova de resistência que precisava ser vencida com tenacidade ferrenha e obstinação que jamais a fariam desistir no primeiro obstáculo". Quando jovem, como outros alemães de sua geração, Jutta sofreu as dificuldades da guerra e teria sido educada na juventude nazista, segundo relato de Eliezer ao jornalista Mário Magalhães, em entrevista à *Folha de S.Paulo*, em outubro de 2009. Vale lembrar, porém, que não cabem aí conclusões apressadas: nascida em 1931, Jutta teria dois anos quando Hitler chegou ao poder na Alemanha e apenas 14 quando ele se suicidou, acossado pelas forças aliadas na Segunda Guerra Mundial.

Eliezer Batista é reverenciado principalmente por seu papel na Vale do Rio Doce, que ajudou, nos anos 1960, a transformar em gigante mundial, com um projeto pioneiro de logística, ligando minas brasileiras aos portos — e, por essa via, ao Japão, potência emergente da época. O sucesso de Eike no ramo da mineração o levou a ser acusado de receber do pai um "mapa das minas" com detalhes das ocorrências de minério no país, que supostamente teria sido obtido por Eliezer Batista em suas passagens pelo governo.

A acusação nunca foi provada. Os êxitos do empresário no campo mineral não são explicáveis especialmente por "achados" fenomenais, e especialistas da área questionam a versão. O "mapa" que

Eliezer proporcionou ao filho, e que muito ajudou o empresário e seu grupo de empresas X, foi outro, como veremos mais adiante.

Sucesso — temporário — de marketing, capaz de motivar e atrair investidores entre neófitos nas bolsas de valores e experimentados gestores de fundos internacionais, o grupo EBX deve seu breve êxito à personalidade de seu fundador. Suas maiores empresas repetiram, em escala inimaginável, experiências do empresário Eike Batista ainda em início de carreira, nos anos 1980. O crescimento e posterior esquartejamento do grupo deixam lições importantes sobre o mercado de valores brasileiro, sobre os riscos do empreendedorismo no Brasil e sobre a qualidade das informações econômicas no país.

Durante a escalada da EBX ao topo do capitalismo nacional, uma avaliação mais detida sobre a carreira de Eike Batista e sobre a real dimensão e estrutura de seus projetos poderia ter freado a súbita e desastrada ascensão do grupo, reduzido o tamanho de sua queda e poupado milhares de investidores de pesados prejuízos. O tombo espetacular do empresário também teve raízes na recusa do próprio Eike em aceitar conselhos para moderar suas ambições.

Tanto o sucesso quanto o fracasso de Eike carregaram consigo histórias contadas pela metade, baseadas em uma mitologia não raramente estimulada pelo próprio empresário, que induziram os observadores a verem o que não existia. O mais impressionante é que muitas das informações capazes de evitar a bolha da EBX e seu estouro estavam disponíveis. Muitos preferiram não as enxergar, encantados por uma propaganda repleta de informações exageradas e omissões inconcebíveis, manejada pelo empresário-vendedor. Um homem que só alcançou certos resultados, por curto período de tempo, sustentado por obstinação e disposição ao trabalho. Mas que, diferentemente do que fez acreditar, não construiu fortuna contando apenas com inteligência, ousadia e persistência. Há momentos na história da EBX que seu criador preferiu esquecer, porque não colaboravam com a lenda repetida a ouvintes amistosos nos últimos anos.

2. Do seguro à floresta

Faltou fôlego ao criador e comandante do grupo EBX. E faltou cedo, quando Eike Batista nem poderia imaginar o papel reservado a ele na economia brasileira: afinal, ainda tinha 11 anos e morava na Europa.

Era asma, conta Eike, em sua autobiografia. Começou a sentir na infância os sintomas da doença, como falta de ar e "ansiedade terrível". Aos 12, a mãe o fez ter aulas de natação, em piscina aquecida, mas aberta ao frio do inverno europeu. "Era difícil", lembra, em seu livro. "Minha mãe me jogou na piscina", contou, em palestra a jovens investidores, já como grande empresário, anos depois.

Curou-se em um ano de exercício de disciplina e autocontrole, mas a asma foi só um de seus primeiros "estresses".

Houve também o impacto de se ver matriculado em um semi-internato suíço sem falar uma palavra em francês, após a mudança da família para a Suíça. Como sequela, diz ter aprendido a superar as situações desfavoráveis com força de vontade e obstinação. A cada desafio, um novo mergulho, recomendava Eike, o empresário, no tempo em que não tinha afundado tantas empresas e suas recomendações apresentavam alto valor no mercado.

O grupo EBX deve muito a essa convicção de seu criador, que, após um começo bem-sucedido no setor privado, acumulou fracassos e prejuízos até engrenar o mecanismo que o levaria ao posto de maior bilionário do Brasil. Impossível ver Eike Batista em ação, na defesa de suas ideias e projetos, e não ficar com a impressão de estar frente a frente com um vendedor de grande talento, especialmente notável pela autoconfiança. Vendedor, sobretudo, de si mesmo.

"Trouxe um videozinho", repetia Eike, à vontade, em apresentações para estudantes, autoridades, executivos, qualquer plateia interessada em ouvi-lo. E, na tela, com acabamento profissional, sucediam-se números impressionantes, projeções otimistas e análises ufanistas. Alguns desses vídeos apresentavam uma animação capaz de convencer os mais desavisados de que o Porto do Açu já operava freneticamente, numa época em que se assentavam os pilares no cais e ainda mal se assinavam memorandos de entendimentos com grupos econômicos atraídos ao projeto. Vídeos publicitários foram uma peça importante no esforço de atração de acionistas para aquela que seria a estrela e a danação do grupo, a petroleira OGX. O *YouTube* traz uma coleção deles, valem o exercício de nostalgia.

A vocação para persuadir os outros a embarcar em seus planos mostrou-se já na juventude, quase seis anos após a cura da asma, e foi impulsionada por outro "estresse": a volta da família ao Brasil no fim dos anos 1970. O pai, Eliezer Batista, fora demitido pelo governo militar nos anos 1960 por ter sido ministro do presidente deposto João Goulart. No entanto, por suas qualidades de estrategista e gestor, seria chamado a colaborar com os ambiciosos planos de infraestrutura dos generais que comandavam o país.

A volta de Eliezer ao Brasil resultaria no Projeto Carajás, de exploração e exportação de minério de ferro a partir da Floresta Amazônica. O principal feito de Eliezer foi perceber que o segredo da competitividade na extração e exportação de recursos naturais está na logística, nos custos e prazos para extrair e transportar riquezas e mercadorias do país para os mercados externos. Foi assim que conseguiu fazer do Japão, no outro lado do mundo, cliente preferencial do minério de ferro brasileiro. Como se vê, o fundador do grupo EBX aprendeu em casa, ainda garoto, que não há bom projeto de extração de minério sem um azeitado sistema de transporte, e um bom porto.

Estudante de engenharia, decidido a permanecer na Alemanha, com vergonha de pedir aumento da mesada ao pai, Eike começou a vender seguros para bancar as despesas. Jovem, alto, bonito e fluente em alemão, identificou, em pouco tempo, um comprador preferencial: o "universo feminino", e assim compartilhou com mulheres inumeráveis xícaras de chá e aprendeu a seduzir clientes em potencial.

Um bom vendedor, receitava o empresário, é aquele que tem curiosidade em relação às pessoas, acredita nelas e tem a capacidade de ouvi-las. Infelizmente, a lição aprendida com a asma o marcou mais fundo que o aprendizado com as simpáticas alemãs que lhe ofereciam chá na juventude: já adulto, poderoso, durante as reuniões do grupo EBX, com frequência mergulhou em seus sonhos, fechou os ouvidos e desdenhou de sugestões para reduzir a escala de seus projetos, com o argumento de que detestava "puxadinhos" — a falta de ambição que via em outros empresários brasileiros.

Aos executivos que lhe pediam cautela costumava dizer, rispidamente, que nunca deixariam de vestir "calças curtas". Colaboradores ficavam incomodados com a maneira agressiva como o chefe interrompia grandes executivos em reuniões de negócios, ridicularizando qualquer comportamento cauteloso em relação às grandes oportunidades que ele via no Brasil.

"*Hellooou*, vocês não estão de olhos abertos? Não enxergam?", repetia, em tom irônico, sem se importar se o interlocutor era o presidente de uma das multinacionais de maior peso no país, com investimentos em seu grupo, ou um sócio em potencial.

Havia momentos, porém, em que o executivo sabia escutar. Ouvir, para ele, era seguir a experiência dos bons comerciantes e investidores no mercado financeiro e estar sempre atento a indicações, sugestões, comentários capazes de revelar oportunidades de grande potencial, nichos interessantes a serem explorados. No folclore da EBX, consta o dia em que, após uma noite em claro, com gripe, chegou à empresa anunciando que queria discutir algumas dezenas de negócios que havia imaginado enquanto via televisão, sem pegar no sono.

O grupo EBX se confunde com a trajetória pessoal de Eike Batista e sua capacidade de identificar chances de negócio. Na página da EBX e nas palestras do empresário, o ano de 1980 é o marco de início do grupo, quando o que existia era a primeira empresa da qual ele participaria, Autram Aureum, criada para intermediar a venda de ouro e vendida anos depois. Ainda não havia letras cabalísticas na denominação dos negócios, mas uma abreviatura: "AU", do símbolo do elemento químico ouro, "TRA", de *trading*, e "M", de mineração. Como logotipo, a Autram adotaria o sol inca, que mais tarde identificaria também a EBX. Eike, em 1980, tinha 24 anos.

A importância da experiência com mineração do ouro na atividade empresarial do criador da EBX pode ser medida pelo espaço que o tema ocupa na autobiografia do empresário: 96 páginas, das 160 nas quais Eike contou sua trajetória de "maior empreendedor do Brasil". Eike nunca se estendeu muito sobre os detalhes da criação da Autram Aureum, que teve, na sua fundação, dois sócios estrangeiros, o português João Manuel Reino e o suíço Felix Jean Chillé.

O começo dos negócios que desembocariam no breve império de Eike Batista, porém, é anterior à Autram Aureum e localizado no mercado informal, que ele descobriu ao passar férias no Brasil, quando ainda complementava o orçamento vendendo seguro a alemães. O próprio executivo informa ter começado sua carreira na mineração como intermediário, em troca de comissões, da venda de diamantes do Brasil para o exterior, sem documentos que constassem na declaração de renda. Negócios de milhares de dólares, "sem um contrato formal", como relatou em seu livro.

"Fechavam negócio, alguém embrulhava, levava os diamantes e depois transferia o dinheiro a quem era de direito. Tudo, rigorosamente tudo, era feito na base da confiança", relatou Eike em *O X da questão*, no qual não detalha se as transações com as pedras eram comunicadas, como manda a lei, às autoridades que fiscalizam o comércio de minérios e cobram imposto.

A origem da Autram Aureum veio do entusiasmo de Eike com a perspectiva de ganhar muito dinheiro com minérios preciosos. Abandonou os estudos de engenharia na Alemanha, com pouco mais de vinte anos, para embarcar na corrida do ouro na Amazônia. O minério alcançava preço recorde no mercado internacional em fevereiro de 1980 e cairia bastante nos anos seguintes, com breve recuperação em 1983, sem nunca voltar ao pico das cotações que encantaram o ex-futuro engenheiro. Os estados do Pará e de Mato Grosso recebiam milhares de imigrantes e ex-operários de barragens transformados em garimpeiros. Como faria pelo resto da vida, ao notar que havia um negócio com oportunidade de ganhos incalculáveis, Eike decidiu que tinha de aproveitar a chance.

Irritado com o abandono da faculdade de engenharia, Eliezer Batista comprou e deu ao filho um presente de humor bizarro, vendido em papelarias na época: um "diploma de burro" — episódio que o executivo mencionaria a amigos e jornalistas, anos depois, já empresário e convicto de que seus negócios seriam "à prova de idiotas". Uma piada de mau gosto impressa não era suficiente para abalar o jovem ex-estudante.

Àquela altura, ele já conseguia recursos para alugar um avião bimotor e meter-se em Itaituba, conhecida como "cidade-pepita", um dos principais centros de extração de ouro na chamada província aurífera do Tapajós, onde o aeroporto é até hoje um dos locais de maior movimento de pequenas aeronaves do país.

Autoconfiante, camisa de manga comprida aberta no peito, sorriso de galã e desembaraço de vendedor experiente, Eike desembarcou no comércio de ouro da calorenta cidade paraense ainda como intermediário, num negócio cujas estatísticas oficiais, na avaliação dos funcionários do governo, mal captavam 25% do total realmente transacionado, em uma região de pouca presença do Estado e muita gente ambiciosa.

O empresário inaugurava, aos 24 anos, seu estilo de negócios: mobilizando a rede de relações facilitada pela condição de filho de Eliezer

Batista, Eike buscou sócios para patrocinar sua empreitada. Chamavam-se Aaron e Mendel esses primeiros investidores; joalheiros no Rio de Janeiro, confiaram-lhe US$ 500 mil para comprar ouro em Itaituba.

Eike alojou-se em um hotel "com muitos mosquitos e teias de aranha", o Sucupira Palace, e associou-se a um dos operadores de garimpos locais. Algum tempo depois, em uma transação até hoje mal-explicada, foi traído por um sócio nos negócios locais, que lhe tomou os US$ 500 mil e mais US$ 300 mil dos lucros, até então, com as operações de compra e venda do minério.

Poderia terminar aí a carreira dourada do empresário iniciante. Mas os patrocinadores capitalistas de Eike não só foram compreensivos quando souberam que seu dinheiro virara pó, como também aceitaram seu pedido de mais capital para investimento e lhe confiaram outros US$ 500 mil, desde que se instalasse no Mato Grosso para gerenciar pessoalmente o novo projeto de comercialização do metal precioso.

O risco de malária e as possíveis aranhas amazônicas não eram nem de longe o maior perigo enfrentado pelo empreendedor — ou por quem se aventurou naqueles panoramas por aquela época. Eike jura ter até hoje uma pequena cicatriz de um tiro que levou pelas costas, disparado por um garimpeiro bêbado de quem cobrou dinheiro aos palavrões. O episódio, dizia o empresário, teria servido de lição para aprender a manter a calma nos momentos de tensão e a se cuidar para não criar inimigos (uma lição valiosa, embora relatos de funcionários graduados da EBX indiquem que ela não foi seguida sempre; um dos primeiros executivos de peso atraídos para o grupo EBX, Rodolfo Landim, passou, no intervalo de quatro anos, da condição de braço direito à de desafeto com ações milionárias na Justiça contra o ex-parceiro, inaugurando uma sucessão de atritos entre Eike e seus principais executivos. Mas Landim é personagem de um capítulo posterior da história da EBX, voltaremos a ele mais adiante).

Eike ainda repartia seus cabelos no topo da cabeça, sem sinais da calvície que o incomodaria mais tarde, quando se mandou para o norte do Mato Grosso, ao garimpo de Alta Floresta, abastecido com o novo aporte de capital dos joalheiros cariocas. Encontrou, no destino, outro capitalista do mundo informal da mineração, Benedito Vieira da Silva, o Ditão, um aventureiro, negro, de quase dois metros de altura.

Também chamado de Baiano, era o dono da pista de pouso de 1,8 mil metros e oficina de revisão de pequenos aviões, da mercearia, do bar, do restaurante, da boate e, como lembraria Eike, "da exploração da fauna romântica" local — gerenciada, nos anos 1980, por uma senhora batizada como Maria Helena, mas conhecida no garimpo como Turca.

Ditão era funcionário da Indeco, empresa privada de colonização que, com apoio dos governos da época e financiamento dos bancos oficiais, começou a estabelecer projetos urbanos e agrícolas na região nos anos 1970. Ele tinha recebido carta branca do patrão, Ariosto de Riva, para organizar a atuação dos garimpeiros, que chegavam aos milhares, levados por boatos e histórias reais de enriquecimento na exploração das ricas jazidas na bacia do rio Teles Pires.

O desmatamento recebia incentivo oficial, encarado como missão civilizatória: era determinação oficial desbravar a Amazônia, com instalação de colônias agrícolas em terras vendidas a preços amigos para empreendedores como De Riva.

Nesse ambiente, selvagem em vários sentidos, só se chegava de avião, e só sobrevivia quem mantinha as costas quentes. Além da boate com moças remuneradas para atender a carências dos clientes, a única diversão era o cinema improvisado em uma tosca cabana de madeira e plástico, onde se revezavam filmes de faroeste e pornochanchadas nacionais. Eike, o recém-chegado, tinha a oferecer, aos negociantes locais, seus contatos de compradores no Sul e no Sudeste.

A oferta foi aceita com gosto por Ditão, "rei do garimpo" de Alta Floresta, àquela altura financiador e explorador da massa de garimpeiros, por procuração da Indeco. Eike recebeu aval de Ditão para circular livremente pelos domínios da Indeco. Cobrava 5% ou mais de comissão do valor do ouro vendido e acumulou um patrimônio milionário. "Fiz o dinheiro girar sessenta vezes, e sobraram 10% para mim; com 22 anos, eu estava lá, com US$ 6 milhões", lembrou Eike, em 2009, no programa "Marília Gabriela Entrevista", para a jornalista Marília Gabriela. (Curiosamente, com a ligeireza que é a sua característica ao tratar de números relativos aos negócios, na sua autobiografia, Eike diz que esse dinheiro foi acumulado entre 1981 e 1982, quando já tinha 25 anos. Mas, no mesmo livro, garante que acumulou os US$ 6 milhões na compra e venda de ouro.) Com todo esse dinheiro, que fazer? "Deveria ter ido para a praia", brincou. Mas a onda que o atraía era a do garimpo do ouro.

Comprou de Ditão a mina Novo Planeta, da qual, por ordem de Ariosto de Riva ("o último dos bandeirantes", segundo o jornalista David Nasser), foram expulsos os garimpeiros que a haviam invadido. Eike estava decidido a fazer com o ouro o que a empresa Paranapanema fizera com o estanho, mecanizando a extração de metal escondido em jazidas aonde a exploração manual não chegava.

Em seu livro, Eike diz ter conseguido a sociedade da Paranapanema na mina Novo Planeta após comprovado seu "sucesso" em Alta Floresta. A Paranapanema é um pequeno marco no que seria o mapa estratégico que, de fato, o fundador do grupo EBX recebeu do pai: mais que indicações sobre as reservas minerais do país, como reza a lenda em torno de Eike, o ex-presidente da então Vale do Rio Doce garantiu ao herdeiro, em momentos decisivos da constituição do Império X, uma rede de conexões importantes com figuras de peso do capitalismo brasileiro e da exploração de recursos minerais do país.

A empresa que se tornaria sócia do garoto que se aventurava em Alta Floresta era de Otávio Lacombe, amigo de Eliezer desde o fim dos anos 1960, quando, juntos, ajudaram a fundar a Aracruz Florestal, mais tarde transformada em Aracruz Celulose. (Um pouco de história: para a fundação da Aracruz, foi fundamental, na avaliação do próprio Eliezer, a aprovação da lei 51.106, de 1966, a Lei Florestal, que deu incentivos financeiros à exploração de eucalipto para produção de celulose. A lei teve sustentação técnica e lobby político do ex-ministro Antônio Dias Leite Júnior, outro amigo de Eliezer que alavancaria a carreira de Eike, mais adiante.)

Como em toda a história das empresas X, na fundação da Novo Planeta há versões alternativas menos glamorosas que a história oficial contada pelo ex-bilionário. Quem divulga a narrativa diferente é o assessor-técnico da Companhia Mato-Grossense de Mineração José Ronaldo Bezerra dos Santos, presidente da Cooperativa dos Garimpeiros de Apiacás, cidade a 35 quilômetros do antigo garimpo de Eike. Segundo José Ronaldo, Eike teria procurado um sócio de maior porte para seu projeto de mineração para lidar com o conflito entre ele, novo dono da mina, e garimpeiros que ameaçavam continuar na Novo Planeta.

Em sua atuação na Amazônia, a Paranapanema teve ajuda, em muitos casos violenta, de gente especializada em lidar com garimpeiros recalcitrantes que infestavam (é esse o verbo usado pelos empresários do setor) as áreas de lavra. Entre os auxiliares da empresa, responsável pela expulsão de garimpeiros de suas minas de cassiterita em Rondônia, estava um ex-dirigente do Departamento Nacional de Produção Mineral (DNPM) de nome pouco amistoso: Hitler Nantes dos Santos. Por sua ação em favor da Paranapanema, Hitler mereceu até citação no Congresso, em discurso do deputado oposicionista Walter Silva, em 1971. "Diluir riscos", dizia Eike, era um dos motivos para ter se associado à Paranapanema, empresa com provada capacidade de dispersar garimpeiros inconvenientes.

Naquela mina, Eike teria sua primeira experiência de investidor malsucedido, salvo na última hora pela Providência e reconduzido ao caminho do sucesso.

3. Menino de ouro

Os US$ 6 milhões acumulados por Eike em seus primeiros anos de trabalho foram quase totalmente consumidos nos investimentos para mecanizar a extração de ouro na Novo Planeta, mina de difícil acesso na selva amazônica. Ele diz que já se "preparava para dar adeus" aos US$ 300 mil restantes quando começou, "num passe de mágica", a extrair minério, ao ritmo de US$ 1 milhão por mês.

Foi preciso mais que uma rede de bons contatos para chegar a esse resultado. Valeu ali a ambição e teimosia do empresário, que foi obrigado a comprar um avião DC-3 para montar uma ponte aérea de quase cem quilômetros e levar, desmontadas, as máquinas de extração de ouro, além de energia, comida, água e medicamentos, a uma região onde a malária chegou a obrigá-lo a substituir toda a equipe encarregada das operações em um período de trinta dias.

"A única coisa certa no mundo dos negócios é que você vai errar", concluiu Eike Batista, ao rememorar as dificuldades do garimpo.

De Alta Floresta ele tirou outra lição: "valia a pena compartilhar o risco, diluí-lo entre parceiros com capacidade financeira e aptidão para empreender", ensina em *O X da questão*. Com essa aula na cabeça, associou-se, em 1982, a Antônio Dias Leite Neto e Olavo Monteiro de Carvalho na empresa Companhia de Mineração e Participações (CMP) e desenvolveu uma segunda mina, no Amapá, a Novo Astro.

Detalhe conhecido por muito poucos, até porque o criador do grupo X sempre contou a história como se fosse ele o principal protagonista: ainda não era Eike a estrela à frente do negócio, que envolveu figuras importantes esquecidas pelo empresário nas fábulas sobre seu começo aventuroso, lembrado em livro e entrevistas.

Antônio Dias Leite Neto era homônimo do pai, o ex-ministro de Minas e Energia Antônio Dias Leite Júnior, que na década de 1970, como lembramos, ajudaria Eliezer Batista a abrir caminho para a criação da Aracruz Celulose. Com vida bem mais discreta que a do amigo Eike, Dias Leite Neto apareceria no noticiário nos anos 1990 em outro setor, como um dos dirigentes do consórcio que arrematou a companhia Telemar, na privatização da telefonia, com forte apoio financeiro do Banco do Brasil e de fundos de pensão estatais.

Na exploração da mina do Amapá, o presidente da recém-criada CMP era Monteiro de Carvalho, conhecido empresário, dirigente do grupo Monteiro Aranha, e o vice-presidente era Dias Leite Neto. Esses dois eram sócios na empresa Macal Investimentos e Participações, que tinha outro terço das cotas da CMP. Eike tinha um terço da CMP, mas era apenas diretor e, em 1986, membro do Conselho de Administração.

Como importante linha de apoio, no Conselho Consultivo da empresa nascente, segundo registro na Junta Comercial do Rio de Janeiro de abril de 1983, estava uma dupla pouco lembrada nas memórias da EBX, apesar da importância e da qualidade empresarial: o pai de Eike e então presidente da Vale, e o pai de Dias Leite e ex-ministro de Minas e Energia.

Eike não precisava de um mapa das minas brasileiras para descobrir o potencial de seu novo negócio. O local onde a CMP explorou a Novo Astro era conhecido como "garimpo do Lourenço" e já era mecanizado, segundo denúncia da época feita pelo Grupo Executivo para a Região do Baixo Amazonas (GEBAM). O GEBAM, órgão ligado ao Conselho de Segurança Nacional e encarregado da regularização das terras na Amazônia, acusava o garimpo de ser explorado irregularmente pelo pai do geólogo Antônio Monteiro de Jesus, chefe do escritório do departamento federal responsável pela fiscalização dos garimpos e minas na região. A chegada da CMP regularizou as atividades no garimpo do Lourenço e trouxe capacidade de financiamento para aumentar a exploração.

Comprada a mina, Eike e sócios começaram as operações da Novo Astro em 1984 e, em 1985, registraram a produção de 412 quilos de ouro, elevados para quase 790 quilos no ano seguinte. Era uma operação altamente lucrativa, mesmo com a queda do preço do ouro para bem abaixo das cotações que encantaram Eike no início dos anos 1980.

A verdade é que Eike chegara à mineração do ouro quando seus preços atingiam o auge. Depois da alta recorde de 1980, quando a cotação do grama do ouro chegou a passar de US$ 20 (ou, em alguns momentos, o equivalente a quase US$ 70, em valores atualizados pela inflação), o preço do ouro no chamado mercado *spot* oscilou entre US$ 9 e US$ 13 por grama entre meados de 1984 e o fim de 1985, o equivalente, descontada a inflação do dólar, a algo em torno de US$ 19 a US$ 28 por grama hoje em dia. Entretanto, ele pôde aproveitar a sucessão de vantagens oficiais oferecidas no mercado. No Brasil, as compras do ouro feitas pelo governo aos mineradores podiam ser realizadas em cruzeiros, moeda da época, usando como referência o valor do dólar no mercado paralelo, bem superior ao oficial; as empresas estrangeiras, ao remeter os lucros ao exterior, usavam o câmbio oficial, que lhes permitia trocar os cruzeiros por mais dólares, lucrando duas vezes.

A CMP comprou outras minas no país, contando com financiamento do BNDES. Em frentes como a da Mineração Xapetuba, no Rio Grande do Norte, onde os sócios anunciavam ter comprovado reservas de três toneladas de ouro, os negócios da empresa baseavam-se em pedido de isenção de imposto de renda concedida pela Sudene, órgão regional de desenvolvimento. Os investidores estrangeiros também já faziam parte importante do que viria a ser o grupo

EBX: com menos de dois anos de exploração, a Novo Astro teve 39% de suas ações vendidas a um grupo japonês, Aoki.

Esses primeiros passos de Eike como empresário foram pesquisados nos cartórios cariocas e outros registros por um militar ultranacionalista da linha dura, contra-almirante Roberto Gama e Silva, ex-integrante do Conselho de Segurança Nacional no governo Figueiredo, ligado à comunidade de informações e ex-presidente do GEBAM. Incomodado com o apoio de brasileiros à entrada de empresas multinacionais no setor de mineração do país, Gama e Silva, no fim dos anos 1980, dedicou alguns capítulos à estreia do futuro bilionário, em um livro com o título zangado de *O entreguismo dos minérios*. É um relato bem diferente da epopeia descrita em *O X da questão*. Tem mais traços de poeira de escritórios e de arquivos contábeis do que cascalhos de garimpos.

Com o trabalho de pesquisa do contra-almirante, pode-se saber que a CMP de Eike, Dias Leite e Monteiro de Carvalho havia nascido em 1981, na Junta Comercial do Rio de Janeiro, com o objetivo de explorar projetos agropecuários no Sudeste e batizada com outro nome, nada mineral: Trimonte Agropecuária Ltda. Em início de carreira, o empresário não dispensava o apoio do Estado: uma das dezenas de empresas mineradoras registradas por Eike, a Rauma, subsidiária da Autram Aureum, tem arquivada na Junta Comercial do Rio de Janeiro uma ata de reunião de diretoria em que decide oferecer ações da CMP em garantia por um empréstimo do BNDES para financiar operações de mineração.

Inscrita no Registro Civil de Pessoas Jurídicas do Rio de Janeiro, mas não registrada na Junta Comercial — o que, por muito tempo, dificultou as pesquisas sobre a origem da empresa —, a Autram Aureum Comércio e Indústria foi criada por Eike Batista e, como sócio minoritário, um empresário português hoje especializado em imóveis, João Manuel Reina, em maio de 1980. Dois meses depois mudava o nome para Autram Aureum Indústria e Comércio Ltda., e aceitava o ingresso, como sócio, do suíço Jean Felix Chillé. As dificuldades para encontrar o documento original de criação da empresa que deu origem ao Império X, firmado por Eike e Reina, levaram o contra-almirante Gama e Silva a garantir que foi Chillé o primeiro dono da empresa. Mas o que há no Registro de Pessoas Jurídicas é o documento de 1980 com Eike e Reina como sócios fundadores. Eike, por procuração, assinou em nome de Chillé o registro em que o suíço entrou na Autram Aureum.

Até recentemente, Chillé apresentava como endereço de trabalho o número 45 da route de Founex, na simpática comuna suíça de Coppet, a 12 quilômetros de Genebra. O seu ofício principal, anunciado na internet, era gestão de fortunas. Nunca ficou registrada a razão do interesse desse contador suíço pelo ouro brasileiro incrustado nos garimpos da Amazônia. Em 1982, a Autram Aureum ganharia mais um membro na sociedade: uma companhia de administração de fundos financeiros com base em Londres, a Hill Samuel International Ltd. Tanto Chillé quanto a Hill Samuel sairiam da empresa anos depois. Na historiografia oficial de Eike, esses sócios internacionais nunca mereceram referência.

Para quem não conhece o mundo da mineração, é difícil acompanhar a multiplicidade de empresas abertas no setor, com nomes diferentes a cargo dos mesmos sócios, prática seguida por Eike Batista em sua incursão aurífera. Essa disposição para criar empresas se explica pela legislação que limita a quantidade de alvarás de pesquisa que pode ser reivindicada por cada empresa; para ampliar o alcance de suas ambições mineradoras, os empresários multiplicam os registros de companhias em seu nome, o que dificulta acompanhar os movimentos de um empreendedor no setor.

Por lei, os interessados em explorar ouro ou qualquer minério devem pedir autorização de pesquisa para o governo, que, se comprovada a existência de riquezas no subsolo, pode autorizar a lavra, a exploração dos recursos. É muito comum que geólogos e outros especialistas acumulem até hoje pedidos de autorização para identificar oportunidades e vendê-las a empresas exploradoras.

Não faltava, nos anos 1980, quem adquirisse autorização para pesquisas de lavras de mineração de ouro e se dispusesse a passá-las adiante por um bom preço. Até hoje é comum essa prática. Naquela época, projetos de mecanização da extração eram muito bem-vindos em Brasília: acossado por dificuldades para pagar as contas externas do país e preocupado com os relatos sobre o crescente contrabando de ouro, o último presidente da ditadura militar, João Baptista Figueiredo (responsável pela volta de Eliezer Batista ao Brasil), promoveu uma onda de modernização nos garimpos, com o registro de garimpeiros e medidas de moralização do comércio do metal.

Nessa época, graças aos trabalhos de pesquisa geológica da Docegeo, subsidiária da Vale criada por Eliezer Batista, descobriu-se o espetacular garimpo de Serra Pelada (que velhos mineradores dizem ter servido também para legalizar, com registros oficiais, ouro já garimpado em outras minas e guardado informalmente). Eike não foi o único a se contagiar com a febre do ouro que tomava o país.

Salvo do calote na dívida pública externa por reservas de ouro do Banco do Brasil e da Caixa Econômica, o governo de João Baptista Figueiredo promoveria, no início dos anos 1980, uma reforma no comércio nacional do ouro, eliminando o imposto sobre circulação de mercadorias que pesava sobre o minério (e estimulava o mercado negro e a sonegação). O ouro passou a ser classificado como ativo financeiro, e se desburocratizaram as negociações comerciais com o metal. Incentivos de imposto de renda seriam dados mais tarde aos brasileiros natos mergulhados na atividade, tornando-os parceiros de grande charme para as grandes mineradoras estrangeiras atuantes no setor.

Enquanto as regras mudavam em Brasília, nos buracos desmatados na selva destinados à extração mineral, intermediários como Eike, registrados como corretores, usavam telefone ou telex para comunicar as compras no garimpo a seus representantes na cidade, que podiam negociar no mercado papéis com o valor de face do ouro adquirido. Financiamento não era um problema sério, especialmente para quem tivesse conexões no governo. O Banco Central mantinha uma linha de financiamento à exploração do metal, em que as empresas de mineração podiam oferecer, como garantia dos empréstimos, as reservas já pesquisadas e com potencial de produção certificado oficialmente pelo DNPM.

Persistiam restrições à atuação de mineradoras estrangeiras, proibidas, por exemplo, de obter concessões para pesquisa ou exploração em áreas próximas à fronteira. Nada impedia, porém, que uma empresa com estrangeiros pudesse atuar nessas áreas caso encontrasse um sócio brasileiro e desse a ele o controle das operações, pelo menos no papel.

Crédito farto, *know-how*, investidores interessados e demanda garantida, com a perspectiva adicional de se obter vantagens do governo: essa combinação se repetiria em muitos dos projetos seguintes do fundador do grupo EBX.

O maior patrimônio de Eike, adequado ao momento, era sua capacidade de obter capital para financiar projetos e suas qualidades de vendedor bem-relacionado. Não havia muitos habitantes dos garimpos semelhantes ao poliglota de camisas elegantes, tão capaz de traduzir a complexidade do cenário nacional da mineração para os empresários estrangeiros interessados no país. Mineradores tradicionais não tinham o dinheiro ou a disposição mostrados por Eike em suas iniciativas.

Corajoso, ousado, com boas conexões em Brasília e nos garimpos e lavras de Minas Gerais ao Amapá, ele seria procurado pela multinacional mineradora Rio Tinto para se associar à empresa na exploração de uma terceira mina, a Morro do Ouro, em Paracatu, Minas Gerais. Foi o primeiro empurrão de uma multinacional à escalada do empresário em direção à EBX.

Era outra mina que prescindia de mapa secreto. Desde 1971 no Brasil, a maior mineradora de ouro, cobre e bauxita do mundo na época, a Rio Tinto era associada em projetos de mineração à Vale e estava decidida a transformar o país em sua "Austrália", grande fonte de minérios para exportação mundial. A demora em obter resultados em sua exploração de bauxita, em Paragominas, no Pará, onde já investira cerca de US$ 600 milhões, havia levado os executivos da empresa no Brasil a proporem à direção mundial da Rio Tinto, na Inglaterra, o investimento em exploração das reservas em Paracatu.

Não parecia um negócio muito atraente. A concentração do ouro na reserva de Paragominas era a menor do mundo, exigia extrair uma tonelada de material rochoso para obter, em média, 0,46 gramas de ouro, segundo avaliações da época. Mas, ainda assim, as intensivas pesquisas dos técnicos da multinacional, realizadas entre 1981 e meados de 1984, indicavam que valia a pena explorar aquele filão, tão grande a quantidade do mineral precioso espalhada por ali.

Decididos a convencer seus superiores a apostarem na empreitada, meses antes de encontrar Eike, o diretor Júlio Carvalho e outros executivos da Rio Tinto haviam tomado o avião para a Europa. Levavam em suas pastas o estudo de viabilidade da mina, apontando um negócio que seria marginal em relação às outras operações da empresa, mas, apesar disso, lucrativo. Reunido com os executivos, na sede, em Londres, frustrado com a demora dos projetos em desenvolvimento no Brasil, sem nenhuma produção no país, o presidente da Rio Tinto, Derek Birkin (sir Derek Birkin, na hierarquia da monarquia britânica), aprovou a proposta, mas com uma condição: seria necessário um sócio brasileiro.

Era conselho de um amigo alemão, conhecedor dos trópicos, explicou sir Birkin aos executivos: "Ele me disse: não importa o que lhe digam, ninguém faz negócios no Brasil sem um sócio local, nunca."

Os dirigentes da Rio Tinto não concordavam com o desconhecido conselheiro alemão; tinham experiência no país e não acreditavam ser essencial ter um sócio brasileiro; mas, decididos a extrair o ouro identificado pelos seus pesquisadores, voltaram ao Brasil e começaram, em junho daquele ano, a tentar atrair grandes empresas do setor para a ideia, mostrando o estudo de viabilidade.

A baixa incidência de ouro afastava os veteranos. Até que, em setembro de 1985, apresentado por um amigo e sócio da Autram Aureum, o advogado Fernando Luiz Villar Cabral, Júlio Carvalho mostrou a proposta ao filho de Eliezer Batista, que se encantou com a possibilidade de parceria, em um projeto de ouro, com a centenária Rio Tinto.

Mais uma vez, Eike mostrou sua ousadia — e a capacidade de obter dinheiro dos outros: levantou empréstimos próximos a US$ 36 milhões e também fez parceria com a Rio Paracatu Mineração S.A., apelidada de Morro do Ouro. Responsável pela extração mineral, a Rio Tinto era uma operadora fortemente apoiada em um projeto próprio, pioneiro, de redução de custos e associação com a comunidade local. O baixíssimo custo de operação, graças ao *know-how* dos ingleses, tornou a mina uma espécie de padrão mundial, copiado por outras empresas.

Com parceiros assim, o sócio Eike pôde dedicar-se a seus outros projetos de mineração, enquanto via crescer os resultados da nova mina. E cresceram rápido: a mina iniciou operações em 1987, e em um ano e quatro meses já havia coberto seus custos, passando a distribuir dividendos semanais aos acionistas. Uma mina de ouro no sentido folclórico da palavra. "Era muito dinheiro", lembra Júlio Carvalho, que, até hoje, executivo respeitado no setor, só tem palavras elogiosas para o antigo sócio.

Nas contas de Eike, o embrião da EBX teria comercializado US$ 60 milhões em 1981 e 1982, período em que acumulou dezenas de alvarás para pesquisa de minério no país, por meio de uma variedade de empresas difíceis de traçar nas consultas aos registros oficiais, com sócios estrangeiros e nacionais. Ele completara 27 anos havia poucos meses quando, em 1983, chegaram os canadenses.

A presença do filho de Eliezer em projetos promissores levou o canadense Ian William Telfer, um contador bochechudo, com olhos claros e largas sobrancelhas, dez anos mais velho que Eike, a convidar o empresário para ser parceiro em sua tentativa de também aproveitar a corrida do ouro no Brasil. Telfer — hoje uma celebridade bilionária no Canadá, onde é reconhecido como filantropo e dono de uma das maiores mineradoras de ouro no mundo, a Goldcorp — era um dos dirigentes que, naquele ano, criaram a Dunbras Empreendimentos e Participações, empresa controlada por duas sociedades com sede no paraíso fiscal de Nova Jersey e no edifício EMCO, na estreita rua da Quitanda, 52, no centro do Rio de Janeiro. Era o mesmo prédio de elegante fachada de granito escolhido por Eike para ser sede de seus empreendimentos de ouro, onde hoje no térreo opera uma agência do Banco de Brasília.

O bem-articulado advogado Fernando Cabral, que apresentara a Rio Tinto a Eike, era sócio minoritário de empreendimentos constituídos pela Dunbras ao chegar ao país. Dirigente da canadense Treasure Valley Explorations, listada na bolsa de valores do mesmo país sob a sigla TVX e registrada no Brasil como TVX Participações, Telfer encontrou em Eike semelhanças e oportunidade de parceria. Juntos, constituíram a Companhia Nacional de Mineração, pessoa jurídica que absorveria parte da Autram Aureum e se tornaria dona das participações do empreendedor nas minas Novo Planeta, Novo Astro e Morro do Ouro.

Eike diria, já famoso, que as negociações com Telfer lhe deram cerca de 15% da Treasure Valley. O contra-almirante Gama e Silva, seu desafeto e investigador, calculava uma participação bem superior, com base nos documentos registrados na Junta Comercial do Rio de Janeiro. Eike ainda não tinha trinta anos quando, em 1985, passou a ser o presidente do Conselho de Administração da companhia, depois rebatizada de TVX Mining e, afinal, TVX Gold.

Estava lançada a primeira das empresas X.

A cotação do ouro havia caído até os níveis de 1979, anteriores à alta que entusiasmara Eike e Telfer, mas iniciava, naquele primeiro ano, uma nova escalada que só se interromperia três anos mais tarde. Com ousadia, Eike garantiria seu êxito na administração da nova companhia e aprenderia com os canadenses a usar o mercado de capitais para dar sustentação aos projetos de investimento. O que ninguém previu foi o fracasso na década seguinte.

4. Na Grécia, a primeira grande tragédia

Depois de se tornar celebridade nos anos 1990, Eike sempre mencionou seus problemas na TVX como incidentes de percurso. Sempre que lhe deram oportunidade, encarregou-se de contabilizar como grande sucesso a história da empresa. Depois de 2004, separado da modelo Luma de Oliveira, já sem a etiqueta de "marido da Luma", antes aplicada por ele mesmo ao se apresentar em público, o empresário fez questão de lembrar que já tinha longa carreira executiva. Seu grande aprendizado e prova de sucesso, dizia, foi a experiência de mineração, que teve como ponto alto a passagem pela TVX.

"Entre 1980 e 2000, em vinte anos, construí oito minas de ouro", repetia Eike, em inúmeras entrevistas, firmando sua narrativa de *self-made man*. "Aprendi a criar projeto do zero; somos craques em execução", disse, em entrevista ao jornal *Brasil Econômico*, em agosto de 2011, quando analistas de mercado começavam a demonstrar desconfianças em relação ao futuro da EBX.

Além de passar à Treasure Valley seus muitos alvarás de pesquisa mineral, Eike adquiriu novas minas de níquel, ouro e prata. Além das três minas de ouro que marcaram o início da carreira do empresário, a TVX explorou uma mina em Goiás e outras quatro no Chile, nos Estados Unidos e na Austrália. Eike apostou alto também em projetos na Rússia e na Grécia, que seriam uma tragédia para a TVX. Mas, antes de se meter com russos e gregos, provou, no Chile, sua capacidade de tirar ouro de pedras aparentemente inalcançáveis.

Ainda membro do conselho de administração da TVX, ele havia proposto, sem entusiasmar os sócios, investir no desenvolvimento da mina de La Coipa, um extraordinário reservatório mineral de prata e ouro a 1,8 mil metros de altura, em uma região bem pouco hospitaleira: clima quase polar à noite e cordilheiras arenosas de vegetação rasteira e fauna de pequenos roedores, às margens do deserto do Atacama, no Chile.

A aridez do local não desanimava tanto os canadenses quanto a desordem fundiária na região, que, segundo ouviu Eike, exigiria uns dez anos de duras negociações para garantir as licenças necessárias à exploração da mina. O entusiasmado diretor arrancou da empresa carta branca para desenvolver, sozinho, o projeto de La Coipa, com recursos próprios.

Com um empréstimo de US$ 58 milhões e a ajuda de sócios locais (entre eles o geólogo que lhe apresentou a mina, algum tempo depois de lhe prestar serviços em outros empreendimentos), ele resolveu, em seis meses, as 150 disputas legais entre quarenta supostos proprietários de terras no local.

A posse estava garantida, faltava o dinheiro para explorar a mina. Durante algum tempo, sem recursos nem apoio da TVX, Eike fez frequentes viagens ao local com potenciais investidores do setor financeiro. Como conta o historiador chileno Augusto Milán, o empresário levava os convidados para conhecer vinícolas locais, visitar as praias de Viña del Mar, hospedar-se próximo à cordilheira e...nada.

Não foi um período tranquilo. O empréstimo usado para resolver a confusão fundiária de La Coipa tinha prazo e aproximava-se seu vencimento. Eike e seus parceiros mudaram então de estratégia: procuraram outras mineradoras. Em 1987, finalmente, a TVX vendeu metade do projeto de La Coipa à canadense mineradora Placer Dome, que lhes garantiu começar, em 1989, a explorar a mina, em escala modesta, lavrando mil toneladas por ano na expectativa de produzir 100 mil onças de ouro anualmente (cada onça tem 31,1 gramas).

Na lenda empresarial que construiu para si e a EBX, Eike não costumava contar essas dificuldades do princípio da TVX, nem a ajuda providencial da veterana Placer Dome; preferia lembrar seus esforços para criar a infraestrutura de La Coipa, com abastecimento de água e energia, transportadas por distâncias superiores a 150 quilômetros. "Havia ali uma jazida com bilhões de dólares em ouro e prata e cujas margens se anunciavam extraordinárias", lembrou Eike, em seu livro. "Foi um megassucesso sul-americano, o maior êxito de investimento do setor da década de 1980." Seu sucesso em La Coipa, dizia o ex-marido de Luma, era um "vácuo" em sua carreira, injustamente desconhecido.

La Coipa logo se tornou a principal mina da TVX, mas enfrentou problemas em seu início de operação que obrigaram os proprietários a mudar as máquinas usadas para separar minério e provocaram perdas no balanço da empresa em 1996. Os acionistas, mesmo preocupados, comentavam otimistas, em fóruns de investidores, que a empresa estava prestes a dobrar suas reservas de ouro, aumentando seu valor de mercado. Havia grande esperança com a compra de minas na Grécia, em 1995, na península de Halkidiki, berço do filósofo Aristóteles, no Nordeste do país. Os mapas antigos já mostravam que a região era famosa por suas riquezas na época do macedônio Alexandre, o Grande.

O que nem os acionistas nem os dirigentes da TVX previram foi a coalizão de duas forças da moderna Grécia que afundou os planos da empresa de Eike: a incompetência do governo helênico e a militância dos ecologistas.

É irresistível a tentação de usar a expressão "presente de grego" para definir o mimo feito pela TVX aos acionistas com seu investimento na terra de Aristóteles. O Estado grego, que havia estatizado a mina, vendeu-a à TVX, mas se viu às voltas com violenta pressão da população local e uma série de manifestações populares, iniciada por seiscentos moradores da vila de Olímpia. Reprimidos militarmente em seu país, os militantes gregos estenderam sua atuação à imprensa internacional, investidores e bancos, abalando a imagem da companhia.

Em 2000, aliados a ambientalistas alemães, os gregos conseguiram convencer o Deutsche Bank a desistir de financiar a TVX no projeto e levaram a Comissão Europeia a vetar o subsídio estatal de 35% do total de investimento assegurado à empresa de Eike para as minas de Halkidiki. Afinal, em 2002, a Suprema Corte grega decidiu que a TVX não poderia explorar as minas.

As ações da TVX, que alcançaram seu pico em US$ 14 em 1995, com a compra das minas gregas já estavam em US$ 11 em 1997. Nesse ano, acionistas, mesmo preocupados, diziam haver subvalorização da empresa e acreditavam em uma recuperação.

Havia quem apostasse em alta para além de US$ 16 por ação — afinal, com o tamanho das reservas de ouro anunciadas pelos dirigentes da companhia, havia muito espaço para subirem as cotações. Anos mais tarde, esse jogo do contente se repetiria entre acionistas da OGX, empresa de petróleo de Eike. O investidor bem-sucedido costuma ter informações que o mercado desconhece e se aproveita delas; o malsucedido não acredita nas informações que todos têm, imagina saber o que outros não sabem, ri da manada e costuma ser atropelado pela realidade.

A epopeia grega da firma dirigida por Eike somou-se a dificuldades incontornáveis também com minas compradas na Rússia. Como resultado, os acionistas foram obrigados a assistir a um mergulho homérico nas cotações da TVX.

Em 2001, as perdas da empresa somaram quase US$ 150 milhões e, no ano seguinte, os interessados na empresa não aceitavam pagar mais que US$ 0,30 por ação original da TVX, que, entre o primeiro trimestre de 2001 e janeiro de 2002, perdeu 90% de seu valor nas bolsas. Os ativos da empresa — seu patrimônio em bens, créditos e outros valores — haviam despencado de pouco mais de

800 milhões de dólares canadenses, em 1997, para um valor pouco superior a 400 milhões, em 2001. A TVX, em situação delicada, foi vendida para outra companhia do setor, a Kinross Gold, por um valor estimado em 875 milhões de dólares canadenses, algo em torno de US$ 560 milhões.

Eike, que uma década antes fizera fama ao negociar uma parceria breve e lucrativa com a canadense Inco, grande mineradora de níquel, não ficou na TVX para ver a tragédia: em 2001, foi apeado do comando da empresa, e deixou a sociedade, levando no bolso, segundo garante, um generoso bilhão de dólares pela sua parte em minas e outros ativos. Deixou para trás os investimentos que havia encorajado a TVX a adquirir, alguns deles produtivos até hoje; outros, como a operação na Grécia, responsáveis por enorme queda nas ações da companhia, após a grande valorização alimentada por sonhos de futuras riquezas nunca concretizadas. No setor, há quem desconfie da cifra bilionária mencionada por Eike. Ex-colaboradores afirmam que sua riqueza somava menos de um terço disso após sair da TVX.

Ao falar de suas aventuras com ouro, Eike gabava-se de sua "expertise em adquirir negócios mal-administrados e fazer jorrar riqueza". Não comentava que seus equívocos foram mais que suficientes para afundar os acertos.

O empresário tinha razão em dizer que havia um "vácuo" de conhecimento no Brasil sobre sua carreira antes do estrelato como celebridade ao lado da mulher-modelo de quem se divorciou em 2004. Mas ele deveria agradecer à imprensa nacional por esse desconhecimento, que lhe permitiu vender como êxito os primeiros atribulados passos do grupo EBX.

Sem dúvida, a TVX foi um grande sucesso, mas de propaganda. De fato, traz em sua história marcas do império EBX: de um lado, a ousadia de lançar projetos ambiciosos; mas, de outro, a capacidade de entusiasmar investidores, nos bancos e nas bolsas, com o anúncio de reservas valiosas que, afinal, frustram as expectativas. Foi o que se passou no mercado de ouro, há mais de dez anos, e no de petróleo e gás, mais recentemente.

"Entre 1980 e 2000, o empreendedor criou US$ 20 bilhões em valor com a implantação e operação de oito minas de ouro no Brasil e no Canadá (Amapari, Casa Berardi, Crixás, Musselwhite, New Britania, Novo Astro, Novo Planeta e Paracatu) e uma mina de prata no Chile (La Coipa)", reza, até hoje, a história oficial no site da EBX na internet, omissa em relação à queda da primeira empresa de grande porte e alcance internacional do empresário.

Outra marca na história da TVX que se repetiria no futuro das empresas X: a capacidade de seu comandante de esquecer rapidamente o fracasso e partir para outra. Só em agosto de 2013 seria publicada no Brasil uma versão diferente da oficial sobre a companhia mineradora, em reportagem no jornal *O Estado de S. Paulo*, dos jornalistas Alexa Salomão e Fernando Scheller com o título: "A ascensão e queda da TVX Gold, a primeira empresa de Eike Batista."

Após conversa com especialistas de mercado no Canadá, onde a TVX é mencionada como um fiasco empresarial, os jornalistas lembraram que o projeto de expansão promovido por Eike, a partir de 1995, foi anunciado como um salto capaz de elevar a TVX ao grupo das seis maiores mineradoras das Américas, antes do ano 2000, com US$ 480 milhões em investimentos na Europa, no Canadá, nos Estados Unidos, no Peru e no Equador. Os jornalistas resgataram uma entrevista de Eike na época em que um dos raros meios de comunicação a acompanhar seus passos era o extinto jornal financeiro *Gazeta Mercantil*, em que ele anunciou seus planos de usar a boa reputação da TVX para obter US$ 400 milhões com investidores privados. O jornal calculava em US$ 1,2 bilhão o valor da empresa no mercado de valores e reproduzia o anúncio de Eike, de que elevaria esse número a US$ 3 bilhões até 1998. Provavelmente os repórteres confundiam dólares canadenses com dólares americanos, que valiam quase o dobro.

Eike evitou, quando pôde, lembrar as condições nada lisonjeiras em que deixou sua primeira empresa X. Outras iniciativas dessa época, porém, de tão conhecidas no Brasil, não puderam ganhar uma versão cor-de-rosa. Parte marginal da história da EBX, houve ramificações do grupo na área automotiva e de encomendas expressas, e Eike canalizaria sua conhecida prodigalidade também para uma aventura no ramo dos cosméticos, em uma empresa criada para agradar Luma de Oliveira. Nas três iniciativas, teve péssimos resultados e deixou prejuízos para clientes ou associados.

Falta de conhecimento do mercado, otimismo excessivo em relação aos possíveis resultados e incapacidade de atender às promessas, feitas não raramente para atrair consumidores ou investidores, todos esses defeitos que se mostrariam de forma dramática no colapso do grupo EBX estiveram por trás dessas iniciativas, que evidenciam o voluntarismo de seu idealizador, como mostraremos no próximo capítulo.

5. Os fracassos na largada

Eike Batista, o ousado e bem-sucedido empresário, anunciou a criação de uma nova companhia e pôs, à frente, pessoas de experiência acumulada no ramo. Contava com a expertise de um importante grupo multinacional e fez previsões mirabolantes de faturamento e lucro rápido. Logo, o empreendimento atraiu o interesse e a parceria de um grande grupo financeiro estrangeiro. Um de seus executivos anunciou até a iminente abertura de capital da empresa na bolsa de valores.

Parece história recente.

Mas era o ano 2000.

A empresa em questão era a eBX Express Brasil, uma das primeiras aventuras do empresário para além do ramo da mineração, negócio que, à época, parecia fazer todo o sentido para o recém-inaugurado mundo das pontocom — firmas do novo milênio, baseadas na plataforma virtual da rede mundial de computadores. A eBX começava com a fusão de cinco empresas de encomendas regionais já existentes — Speed Cargo, Epatil, Hot Service, Post Card e InterCouriers — para servir à crescente demanda por transporte de mercadorias compradas pela internet, aproveitando a associação de uma delas com a norte-americana UPS, tradicional na área.

Eike anunciava, em julho de 2000, a aplicação imediata de R$ 60 milhões de sua companhia de investimentos, EBX Capital Partners, na empresa. Previa investir mais R$ 100 milhões em informática e logística em três anos, e um faturamento de US$ 200 milhões nos 12 meses seguintes.

Não era um setor totalmente desconhecido para ele. Pretendia aproveitar seus conhecimentos de logística — adquiridos por experiência própria e por orientações de seu pai — para lucrar com o interesse de investidores na onda levantada, naquele momento, pelos negócios na internet.

Mal criada a empresa, Eike já agigantava suas dimensões. Em entrevista ao jornal *O Estado de S. Paulo* publicada em julho de 2000, o empresário dizia que a empresa teria crescimento de 50% ao ano e chegaria a um faturamento de pelo menos US$ 600 milhões em 2005, estimativa "modesta" que poderia elevar-se a US$ 1 bilhão, informava a reportagem. A confiante aritmética do empreendedor seguia lógicas muito peculiares, já que ele também previa um faturamento de US$ 200 milhões nos 12 meses seguintes. Se confirmadas as previsões de crescimento de 50% anuais, a empresa chegaria a meados de 2005 faturando mais de US$ 1,5 bilhão; mas talvez até o empresário tenha achado essa cifra um tanto exagerada, e entortou a matemática, confiando na urgência distraída do noticiário econômico.

A eBX começou com a decisão, no primeiro trimestre, de compra de cerca de 80% das ações da empresa Speed Cargo, detentora da maior rede privada de distribuição nacional, segundo alardeavam seus dirigentes, e de um acordo de parceria com a multinacional UPS, "a maior empresa de courier do mundo".

Eike afinal, desde sempre, só buscava o "estado da arte" em todo negócio em que se metesse.

Em julho, o empresário patrocinaria a fusão da companhia com outras três das maiores empresas ativas no ramo e, no segundo semestre, seria incorporada a InterCouriers, que trazia consigo uma inovadora tecnologia de rastreamento de encomendas pela internet. O valente empresário, que mais tarde desafiaria a Vale e a Petrobras, anunciava que seu grande concorrente seria um gigante estatal, os Correios, com seu serviço de encomendas expressas, o Sedex.

A decisão de entrar no ramo de encomendas expressas já trazia uma marca de Eike Batista: a sensibilidade e a coragem para não perder oportunidades novas de negócio no momento em que elas surgiam no horizonte, ainda pouco exploradas por empreendedores mais tradicionais. Eike voltava seus olhos ao crescente comércio eletrônico no Brasil, que demandaria uma rede de entregas eficiente e de grande alcance. A eBX se tornava, desde o nascimento, a maior empresa privada do ramo no país.

Não soava fora de propósito o novo projeto de Eike. Outras empresas também entravam na onda, que prometia ganhos excepcionais. Só em 2001 os Correios anunciariam a criação de um serviço específico para o comércio eletrônico, o e-Sedex. Mas a aposta do empresário — isso ele não sabia — ocorreu exatamente quando começava a estourar a chamada "bolha de internet", ou "bolha das pontocom", a euforia internacional, com epicentro nos Estados Unidos.

De março de 1999 a março de 2000, o índice de valorização das ações da Nasdaq, bolsa norte-americana de empresas de tecnologia, dobraria, passando dos cinco mil pontos. Logo depois, porém, começaria uma queda sem freios, arrastada por incertezas na economia e, especialmente, por novas normas de contabilidade determinadas pelo governo americano. As novas regras tolheriam a exuberância irracional dos investidores, limitando o registro de receitas ainda não concretizadas nos balanços dessas empresas nascentes.

Um ano após a criação da eBX, frustrado em suas expectativas otimistas, Eike faria a primeira reformulação na empresa, mudando seu foco de negócios, do transporte de todo tipo de encomenda para a entrega de mercadorias de maior valor agregado, como celulares, televisores e equipamentos de informática. Mais adiante, sairia do chamado B2C (*business to consumer*, empresa a cliente) para o B2B, o transporte de encomendas entre empresas.

Nos planos do empresário, sempre grandes números: a coleta de encomendas seria feita por uma rede inicial de 35 lojas, e a operação envolveria cerca de dois mil funcionários diretos e dez mil indiretos, quarenta filiais e duzentos agentes terceirizados. A eBX sonhava cobrir 1,5 mil municípios no país, os de maior mercado, com uma frota de 1,2 mil veículos, entre próprios e arrendados, centros de distribuição próprios e três *hubs* em pontos estratégicos.

Essa contabilidade, claro, variava conforme a publicação para a qual a eBX Express revelava suas ambições. Em dezembro de 2000, falava-se em quatrocentos veículos terrestres e quatro aviões próprios, estrutura em 22 capitais. No noticiário, o faturamento anual da eBX Express era calculado, conforme a publicação, na faixa entre R$ 100 milhões e R$ 140 milhões por ano. Um fato inquestionável é que a empresa terminaria seus primeiros 12 meses bem abaixo dos R$ 200 milhões de faturamento previstos no lançamento.

A empresa de Eike chegaria a seu segundo ano de vida também assolada por problemas operacionais. Os sistemas de informática e logística das empresas não falavam direito entre si. E havia conflitos internos entre os dirigentes originais das companhias, mantidos como diretores-executivos e, mais tarde, transferidos para o conselho de administração.

Ainda assim, em março de 2001, auge da euforia com as companhias da internet, o banco UBS Warburg Pincus, que já havia apostado na loja virtual Submarino, anunciou a compra de uma participação na eBX Express por R$ 72 milhões. Eike, claro, fez festa e propaganda com a notícia. Era um aval de especialistas à sua incursão no setor de encomendas expressas, uma demonstração de confiança de uma das maiores firmas internacionais de *private equity* (instituições especializadas em comprar participação acionária em empresas fechadas, sem ações em bolsa).

Assim como na TVX, e como faria no futuro com outras empresas X, a aposta de um investidor internacional aparecia nas mãos de Eike como carimbo de aprovação para os sonhos do empresário e lhe rendia menções favoráveis na imprensa. A boa-nova, na época, repercutiu somente nas publicações especializadas. Para o grande público, as referências a Eike ainda estavam presas a suas excentricidades como "marido de Luma de Oliveira".

Nas primeiras declarações dos executivos da eBX Express, no ano de sua criação, previa-se que ela começaria a dar lucro a partir do segundo semestre de 2001. Em junho desse ano, no entanto, Eike mudou o comando da empresa, contratando José Carlos Solimeo, executivo com experiência na UPS e na DHL, grandes empresas do setor. A essa altura, adiava-se para 2003 o prazo para que a eBX Express saísse do vermelho.

Na mudança de estratégia que se seguiu, o faturamento mensal da eBX caiu de R$ 10 milhões mensais para R$ 2 milhões. A Warburg Pincus, pragmática, recusou-se a aumentar sua participação na empresa, ao contrário do que cogitara no começo de sua associação com Eike.

Se fosse concretizado o plano anunciado em 2000 pelo presidente da eBX, Cícero Costard, a empresa passaria a vender suas ações na bolsa de valores em meados de 2001. Mas não o fez. Em setembro de 2002, menos de dois anos após a criação da concorrente dos Correios, daquela que seria a "maior operadora de cargas expressas do país", os clientes e associados da eBX foram informados de que a companhia era obrigada a encerrar as atividades. Até o pai, Eliezer, frustrou-se: havia feito contatos no meio empresarial em busca de apoio para o filho, sem sucesso.

No mês seguinte, Eike e Solimeo lamentariam, em entrevistas, não ter conseguido vencer a avassaladora competição com os Correios, beneficiados por "vantagens fiscais" e uma extensa rede de atendimento. Não comentavam o fato de que tanto as vantagens quanto a rede já existiam antes da decisão de criar a eBX Express.

Eliezer Batista chegou a telefonar para amigos e investidores conhecidos. "Pode receber meu filho?", pediu. A quem concordou, Eike e Eliezer fizeram visitas, em que o empresário malsucedido ocupava até duas horas em descrições da empresa e possibilidades para eventuais novos sócios. Sua habilidade de vendedor foi posta à prova, e, dessa vez, não funcionou.

Era a ressaca após a embriaguez com a euforia das pontocom, e, justiça a Eike, ele não estava sozinho na dor de cabeça. De fato, sem condições de competir com a estatal, também saíram do caminho naquele ano duas outras empresas criadas em meio à febre de expectativa, a Total Express, do banco JP Morgan e do GP Investimentos, e a Intecom, do grupo Martins, o maior atacadista do país.

Mesmo acompanhado por outros empresários na queda, a queixa contra os Correios só ressalta que Eike, em sua incursão no terreno das encomendas expressas, subestimara a concorrência e fora levado pelo entusiasmo do mercado com a reluzente novidade que, em pouco tempo, mostrou ser apenas mais uma irracionalidade especulativa.

A empresa de encomendas não foi a única a gerar entusiasmo em Eike e prejuízos ao grupo EBX, em seus primeiros anos. E nem foi a mais exótica entre os caprichos que o empresário financiou com o grupo. Ao se envolver com a eBX Express, Eike já dividia suas atenções de executivo com outras aventuras malsucedidas.

Uma delas era a FLX Consultoria e Franchising, mais conhecida pela franquia Clarity e mais ainda como "a empresa que Eike deu de presente a Luma". Aberta em 1994 com Luma na sociedade (em 2004, com o divórcio, ela deixaria de ser sócia do empreendimento), a Clarity exigia investimentos, em média, de R$ 80 mil aos interessados em representar a marca, com suas lojas de luxo e seus produtos certificados. Atraiu meia centena de contratos de franquia e quase o dobro de distribuidores, mas já em 1996 respondia a processos na Justiça, de franqueados descontentes com o que consideravam falta de estrutura de apoio e divulgação da marca. Alerta para as oportunidades de negócio e dividido entre suas muitas frentes de ação, Eike não era tão astuto assim na gerência, como descobririam os franqueados da "empresa da Luma".

Como aconteceria mais tarde com acionistas de suas empresas de petróleo e navegação, encantados com o glamour propagandeado por Eike, muitos franqueados da Clarity imergiram em um negócio sobre o qual não tinham nenhum conhecimento, esperando que a competência do bilionário os guiasse. Em 2001, Eike desistiria da Clarity, e, cinco anos depois, seria condenado na Justiça a pagar R$ 4 milhões a dez ex-franqueados falidos que o processaram.

"Os sócios agiram de forma abusiva e desviante, ferindo direitos de terceiros, causando-lhes danos e fugindo, agora, à responsabilidade", sentenciou o desembargador do Tribunal de Justiça do Rio de Janeiro, Fernando Cabral, ao determinar que Eike pagasse com bens pessoais a indenização devida pela FLX, acusando-o de se esconder por trás da pessoa jurídica, dona das franquias.

Na primeira tentativa dos franqueados para receber a indenização da FLX, descobriram que a empresa tinha como capital R$ 1 mil e nenhuma propriedade que pudesse ser penhorada para pagar dívidas. Nos anos seguintes, os tribunais ainda registrariam a tramitação de processos contra o empresário, cobrando prejuízos.

"Aprendo com os erros", repetia Eike, nos anos de auge do grupo EBX. E se encarregava, com gestos, de demonstrar o contrário: quase dez anos após afundar a Clarity, ele destinou R$ 15 milhões do grupo a outro empreendimento para agradar uma parceira — no caso, a namorada Flávia Sampaio, com quem teria seu terceiro filho, Balder. Inaugurada em outubro de 2010, com lista de vips na porta e dezenas de celebridades, a clínica estética Beaux, com o "X" de Eike, ocupou 1,5 mil m^2 no complexo médico MDX, onde, sob uma grande capa de marketing, a EBX comercializa consultórios para terceiros, na Barra da Tijuca, no Rio de Janeiro.

As madames avessas a publicidade tinham entrada exclusiva. Os serviços incluíam reserva de helicópteros. As manicures ofereciam esmaltes sofisticados de grifes famosas e taças de champanhe, e os tratamentos de pele eram precedidos de consulta com dermatologista e análise em aparelhos importados. O próprio Eike anunciava a intenção de eliminar manchas na pele com o "tratamento não invasivo" de laser na clínica; as clientes famosas eram, claro, divulgadas em colunas sociais.

Um ano e meio depois, a clínica de piso de mármore, fontes e luxo fechava "para reposicionamento", segundo o comunicado oficial. Equipamentos de estética, esmaltes, sacolas e até a louça italiana foram vendidos nos dias seguintes, em uma liquidação informal, um bazar improvisado no qual se aceitava pagamento em até oito parcelas com cheque pré-datado. Naquele mesmo ano, em agosto, Flávia daria uma entrevista ao site *Glamurama*, confirmando que "reposicionamento" era eufemismo para fim do negócio e atribuindo o fiasco à falta de "*know-how* médico".

Esses dois dissabores não foram tão traumáticos quanto à experiência com os automóveis, uma paixão do magnata, como demonstravam os carros de luxo na sala de entrada e na garagem da mansão de Eike. Ele por diversas vezes teve seu nome envolvido em especulações sobre a construção de uma montadora de carros elétricos no país, e nunca desmentiu os boatos. Mas chegou a dizer que seu pior fracasso nos primeiros anos do grupo EBX foi a tentativa de ingressar no terreno das montadoras, setor com o qual não tinha a menor familiaridade e onde cometeu uma sucessão de erros de amador.

Sonhando atender às necessidades de suas minas, abastecer as Forças Armadas e alegrar os adeptos de carros grandes no Brasil e no exterior, Eike fundou, em 1992, a fábrica de jipes JPX. Seu automóvel, o JPX Montez, ganhou fãs que até hoje trocam mensagens e dicas de manutenção. Era, porém, o que se pode chamar de um "puxadinho" automotivo. O projeto, (mal) adaptado, com peças importadas e nacionais, montado em uma fábrica em Minas Gerais, foi outra iniciativa da EBX incapaz de durar uma década.

Um dos pecados originais da JPX, a fábrica, foi o exagero em sua concepção. Eike calculava encontrar cerca de quatrocentos compradores por mês para seus jipes, baseado em perspectivas de mercado que apontavam uma demanda de mil veículos mensais para os chamados SUVs, utilitários esportivos comuns nas grandes cidades. Só em 1996, após contratar, por US$ 280 mil, uma pesquisa de mercado, ele descobriu que a demanda brasileira por seu utilitário fora de estrada era de, no máximo, duzentos veículos por mês, a ser disputada com os bem menos luxuosos — e mais baratos — jipes Bandeirantes, da Toyota. Desse erro original saiu uma fábrica superdimensionada, que produzia menos da metade de sua capacidade e que, ainda assim, viu crescerem os estoques nos pátios.

Além de sonhar com uma clientela que não se concretizou, Eike e seus executivos cometeram erros sérios no próprio projeto do automóvel, que lhe deram má fama no mercado e afastaram compradores.

Fiel a seu lema de buscar o que há de melhor no mundo em matéria de tecnologia para as empresas do grupo EBX, Eike comprou o projeto de um bom modelo existente, o francês Auverland A-3, e o adaptou para usar peças de veículos de diversas montadoras existentes no Brasil. Na fábrica, havia ambição, estimulada por um novo amigo, o dono da Auverland, François Servanin. No jipe, houve incompetência.

O motor original do carro, importado, não tinha força suficiente para dar velocidade ao conjunto montado no Brasil, e, mesmo contrariando alguns técnicos da fábrica, os dirigentes da JPX decidiram turbinar o jipe, sem passar pelo esforço de homologar as alterações nos órgãos técnicos do governo. A história do que fizeram, narrada até hoje pelos fãs do JPX Montez, faz lembrar improviso de garagem em fundo de quintal.

Ao incluir um turbocompressor no motor francês, os engenheiros da JPX lhe deram mais força. No entanto, sem adaptações também no sistema de refrigeração, o jipe, quando submetido a altas velocidades ou a grande esforço, com o tempo, queimava os cabeçotes do motor, vazava água onde só devia entrar óleo, inutilizava a máquina que antes emitia, vencida, fumacentos sinais de sua morte iminente. Era a "chaleira", apelido nada carinhoso dado aos carrinhos de Eike quando começaram a se acumular os casos de jipes levados às oficinas.

A JPX, ao perceber o erro no projeto adaptado, passou a mudar o sistema de arrefecimento, mas não fez um *recall* do automóvel. Preferiu orientar sua rede de oficinas a consertar discretamente o carro, o que deixou de fora a grande maioria de usuários. Muitos jipeiros evitavam as poucas e caras concessionárias afiliadas à empresa de Eike, onde, nos primeiros casos de motor queimado, a conta chegou a ser passada ao dono do jipe, acusado de mau uso.

"Fizeram paliativos, não resolveram os problemas definitivamente", lembra o advogado Getúlio Rainer Vogetta, até hoje dono, satisfeito, de um JPX Montez reformado, no qual substituiu, por conta própria, o motor e outros componentes por similares nacionais, e só manteve a carroceria, o chassi e a configuração da suspensão originais. "O projeto original era excelente, até hoje é produzido na Europa, mas os mecânicos nacionais não tinham conhecimento de motores diesel de alta rotação, mais frágeis."

Vogetta manteve, por anos, contato com engenheiros da JPX, que se queixavam de ter seus planos desfigurados pelos gerentes, mais preocupados com resultados comerciais. Parte das histórias que ouviu foi transcrita em um site, o *Mundo JPX* (jpx.4x4brasil.com.br), hoje também estacionado, sem atualizações, por problemas de servidor.

Eike, após um período de interesse pela fábrica, deixou-a nas mãos da equipe, que não se entendia. Para os engenheiros da JPX, os diretores da EBX que interferiam nos planos da empresa em Minas eram os "meninos do Rio", que, por sua vez, apelidaram o carro fabricado pelo grupo X de "brinquedo do Eike".

Os problemas não impediram o empresário de ostentar, no comando de seu departamento de vendas em São Paulo, o ex-piloto de

Fórmula 1 Wilson Fittipaldi, que, como Luma de Oliveira, estrelou propagandas do veículo.

A EBX, contando com a simpatia do governo da época, conseguiu como cliente o Exército brasileiro, comprador de um lote entre 450 e 500 jipes. A maior parte dos compradores da JPX foi institucional: além das Forças Armadas, guardas florestais, prefeituras e bombeiros passaram a guiar os carrinhos. Mas os prejuízos na operação acumularam-se, e, em 1996, Eike desencantou-se com a montadora, mandou paralisar a produção, demitir funcionários e fechar escritórios. Deixou de lado as campanhas de marketing que marcaram o lançamento do carro e desestimulou a rede de concessionárias a seguir com o negócio.

Seus engenheiros chegaram a criar novos protótipos até o fim da década, quando Eike se animou com a perspectiva de vender versões militares do JPX Montez a Angola e aos Emirados Árabes. As negociações com os governos levaram autoridades angolanas a visitar a fábrica na cidade mineira de Pouso Alegre, mas também fracassaram. Remanescentes dos cerca de três mil carros sonhados por Eike ainda rodam no Brasil, alguns nas Forças Armadas.

Essas atribulações do JPX têm uma espécie de memorial virtual, com detalhes desses erros de projeto e de estratégia. Além do *Mundo JPX*, de Vogetta, existe na rede o *Clube do JPX* (clubedojpx.com.br), mantido por aficionados que, até recentemente, ainda trocavam entre si dicas de como obter peças para manutenção dos jipes em circulação, elogiados pelo seu grande conforto, a suspensão excepcional e estabilidade invejável até fora de estrada.

Na avaliação dos integrantes do clube, ao estender o prazo de existência da JPX até a década seguinte, Eike conseguiu fugir a multas contratuais com os proprietários de concessionárias. As ameaças dos fornecedores de levar a JPX à Justiça, após a primeira tentativa de fechar a fábrica, em 1996, estariam por trás do ensaio de reabertura da empresa, no fim da década.

Em 2000, Eike contratou o ex-diretor da Odebrecht Paulo Vaz de Mello Filho, engenheiro e administrador mais acostumado a plataformas de petróleo, para dar um destino à fábrica. O departamento de engenharia da JPX passou a contar apenas com um engenheiro automotivo, o italiano Umberto Giuseppe Ambivero, e um desenhista, à espera de um contrato com Angola que nunca veio. Ambivero desentendeu-se com Paulo Vaz de Mello Filho ao questionar o projeto de nova frente do JPX Montez, que considerou ineficiente, desenhado pelo filho arquiteto do novo diretor.

Em 2001, já alvo de dezenas de ações judiciais de compradores indignados com problemas nos jipes ainda novos, a JPX fechou definitivamente as instalações e vendeu equipamentos e estoques de peças. Um representante no Rio de Janeiro encarregou-se de manter a venda de peças até 2006, último ano exigido por lei para garantia de fornecimento de componentes aos compradores do jipe. Prejuízo calculado para o grupo EBX, por ex-funcionários da empresa fechada: algo em torno de US$ 45 milhões.

Já em seus últimos meses de existência, a JPX teve fôlego, ainda, para um delírio anedótico: entusiasmado com o triciclo utilitário que havia visto em uma viagem à Tailândia, Paulo Vaz convenceu Eike a tentar montá-lo no Brasil, para entregar encomendas da eBX.

Era um "tuk-tuk", como são chamados pelos tailandeses esses veículos minúsculos, também encontrados nas tumultuadas avenidas indianas e totalmente em desacordo com as regras de segurança brasileiras, a começar pela falta de freios dianteiros. Esse e outros defeitos, como o alto custo das peças importadas, foram apontados pelo italiano Ambivero, que previu ainda a repetição do fracasso do JPX em um veículo pequeno, instável, sem motor adequado para enfrentar as ladeiras paulistas, cariocas ou belo-horizontinas. Eike, no entanto, deu sinal verde ao projeto, e Paulo Vaz chegou a importar um "tuk-tuk", que se escangalhou em um acidente durante testes na fábrica.

O "tuk-tuk" nacional seria, após o frustrado JPX, mais um ensaio de "sinergia" entre empresas X, e não foi além da prancheta dos engenheiros. Durou bem menos que tentativas futuras, também fracassadas, de ligar entre si operações das empresas do grupo — o grande equívoco que ajudou a transformar o mergulho empresarial de Eike em um colossal naufrágio.

Mas a década de 2000, que começava com o abandono de caprichos desastrosos, também foi o momento de ascensão meteórica do grupo EBX, comandado por Eike. Após uma incursão atribulada na área de energia, foi a mineração, seu ponto de partida e área de grande expertise na família, a alavanca para deixar o pântano onde haviam atolado alguns de seus projetos de estimação.

6. "Olhar 360 graus", coisa de tubarão

Até a Embaixada dos Estados Unidos no Brasil demonstrou interesse especial pelo grupo EBX e pelas extravagantes promessas feitas por Eike Batista de criar no país uma "mini-Vale" com sua empresa de minérios, uma "mini-Petrobras" com a OGX, de petróleo, a "Roterdã dos trópicos" com seu Porto do Açu e a "Embraer do mar" com seu estaleiro OSX.

Os diplomatas no Rio de Janeiro, São Paulo e Brasília definiam Eike como um "empreendedor inacreditavelmente bem-sucedido" e o incluíram em telegramas sobre o país enviados a Washington — comunicações originalmente sigilosas que se tornaram patrimônio universal graças aos vazamentos do site *Wikileaks*, responsável pela divulgação de milhares de documentos do governo norte-americano.

"Em 2001, ele perdeu quase toda sua fortuna, adquirida com lucrativos empreendimentos na mineração do ouro, quando apostou, sem sucesso, em investimentos de mineração na Europa e na Rússia", dizia o telegrama enviado pelo consulado americano no Rio de Janeiro, em 27 de junho de 2008. Para os analistas econômicos dos Estados Unidos, a TVX, lembrada como grande sucesso por Eike, quase o havia jogado na classe média. "Empreendedor brasileiro lança desafio à gigante petrolífera Petrobras" era o título da análise, assinada pela cônsul-geral Elisabeth Lee Martinez.

Segundo a diplomata, em 2008, a impressionante voracidade da empresa de Eike na aquisição de áreas de exploração de petróleo para a OGX mostrava que o Brasil se revelava um "mercado de petróleo livre", no qual a associação com a gigante estatal Petrobras era uma escolha voluntária das companhias privadas. Mas havia ressalvas.

Executivos de companhias americanas de petróleo informavam ao consulado no Rio de Janeiro a "frustração" da Petrobras ao enfrentar, pela primeira vez, uma forte competição do setor privado, e diziam que a estatal ameaçava cortar de seus projetos antigos parceiros que ousassem associar-se a Eike na exploração de petróleo.

A acusação refletia o ânimo dos altos executivos da Petrobras, irritados com a contratação, por Eike, de funcionários em posições estratégicas na estatal, com informações privilegiadas. Mas não há notícias de retaliações da estatal a parceiros de Eike, e o tempo aparou arestas. Empresas como a Exxon fizeram negócios com a EBX e a Petrobras. O então presidente da Petrobras, José Sérgio Gabrielli, chegou a receber Eike em audiência, e a estatal, anos depois, faria negócios com a OGX, vendendo um de seus blocos de exploração à empresa. A diplomata estava certa, porém, em identificar interesses divergentes entre a empresa de Eike e a antiga detentora do monopólio nacional do petróleo.

Houve, realmente, atritos entre a Petrobras e o grupo EBX, bem antes dos telegramas revelados pelo *Wikileaks*. A experiência com a estatal é mencionada na autobiografia de Eike como exemplo de êxito, bastante proveitoso, em sua atuação no ramo da energia. Não foi assim que a parceria ficou registrada na memória da estatal. É mais um caso de exagero e curiosa memória seletiva, algo comum na história da EBX quando narrada por seu criador.

No começo, era a água. Quando ainda estava às voltas com sua TVX, em 1998, Eike comprou, de engenheiros saídos da Petrobras, a Geoplan, empresa especializada em abastecimento e tratamento de água (usando tecnologia da estatal, que, muitas vezes, encontrava aquíferos onde buscava petróleo no país). Já adepto da integração dos serviços de suas empresas, Eike sabia que a mineração é uma atividade de grande consumo de água, para separação de minério e tratamento de resíduos, e decidiu usar a Geoplan, rebatizada de

Geoplan/AMX Acqua Management, para o abastecimento de suas minas no Chile.

Logo, porém, vendeu a firma, quando viu oportunidade de lucro, à americana Enron International, presidida na época por uma cativante executiva loura de olhos castanhos, saias curtas e saltos altíssimos, Rebecca Mark — conhecida, por seu estilo ambicioso, pragmático e competitivo, como "Mark, the Shark" ("Mark, o Tubarão").

À frente da Azurix, subsidiária da Enron, Rebecca buscava oportunidades de compra de empresas na onda de privatizações no Brasil, e o jovem Eike, enrolado nas complicações de sua TVX, chegou à executiva por intermédio de um famoso brasileiro que a assessorava havia cinco anos. O consultor da charmosa executiva, que a ajudava a abrir portas em Brasília — onde foi recebida em duas longas conversas pelo ministro da Fazenda, na época Fernando Henrique Cardoso —, chamava-se Eliezer Batista.

Batista, pai, acompanhou a compra da empresa de Eike pela Azurix. E Batista, filho, foi nomeado o principal executivo da empresa vendida. Eike acumularia com suas outras atividades empresariais a função de executivo da subsidiária da poderosa Enron no Brasil — o que parecia ideal para tranquilizar as preocupações paternas com as atribulações do filho.

"Rebecca tem a capacidade de ver coisas, como os franceses dizem, *tout azimuts*, em 360 graus", descreveu Eliezer ao ajudar a revista *Forbes* a compor o perfil da então presidente da Enron International. A ideia de "visão 360 graus", curiosamente, reapareceria na família Batista, anos depois, divulgada por Eike como sua filosofia de ação. "A visão 360 graus é a busca do erro zero", definiu o dono do grupo EBX, em sua autobiografia.

Infelizmente para ambos, nem Eike nem Rebecca Mark foram capazes de ter, de fato, visão tão penetrante. Enquanto Rebecca Mark comprava a Geoplan e anunciava planos ambiciosos de outras compras no Brasil, a Enron se atolava em maus negócios e dívidas escondidas dos acionistas. Por disputas de poder na empresa, Rebecca pediu as contas em 2000, após resultados decepcionantes no desempenho da Azurix. No ano seguinte, a Enron faliu, em um escândalo que marcou época, mas não chegou a ter a executiva apontada entre os responsáveis.

Com a quebra da Enron, um dos maiores credores da empresa, o Bank of America, implicado com outros bancos em acusações de ajudá-la a esconder o estado deplorável de suas finanças, participou dos esforços para abater os prejuízos. No Brasil, tornou-se sócio de Eike para ajudá-lo a recomprar a Geoplan/AMX Acqua, por US$ 40 milhões.

A Azurix tinha firmado contratos com várias empresas, entre elas a Vale e a Petrobras, e com as prefeituras de Araçatuba e São José do Rio Preto, em São Paulo. "Eles precisavam fazer caixa com qualquer coisa, e eu tinha a preferência na compra", lembraria o bem-posicionado Eike à jornalista Juliana de Souza, do jornal *Valor Econômico*, em 2002.

Seria a partir da Geoplan/AMX que Eike ingressaria no ramo da energia e esbarraria com força na Petrobras. Assim como passou de uma relação calorosa à hostilidade aberta com alguns de seus colaboradores próximos, Eike inaugurou sua parceria com a Petrobras no fim dos anos 1990, em uma lua de mel logo transformada em divórcio.

7. A TERMELÉTRICA DO VESTIDO CURTO

Há uma mulher lindíssima no romance rompido entre Eike e a Petrobras, mas no papel de figurante. Coadjuvante vistosa, mas secundária, apenas uma pitada de charme na relação. E tudo começou com outro exemplo de sagacidade do empresário, ao ver a chance de entrar em um negócio que, novamente, lhe pareceu ser "à prova de idiotas".

Em 2001, o Brasil enfrentava enormes apagões de energia, consequência de anos de baixo investimento em infraestrutura do setor elétrico e mau planejamento no abastecimento de eletricidade. Faltavam linhas de transmissão, e, mais que tudo, o país estava carente de alternativas às hidrelétricas, que dependiam de chuvas em seus reservatórios de água para mover suas turbinas.

Entre as propostas contra os apagões, um grupo de especialistas sugeriu ao governo do presidente Fernando Henrique Cardoso encorajar a construção acelerada de usinas termelétricas, movidas a gás e carvão. Foi uma solução atraente para os empreendedores do ramo: as chamadas termelétricas *merchant* fariam parceria com a Petrobras para abastecer os mercados — naquela época o preço da energia estava nas alturas —, receberiam financiamento amistoso do BNDES e teriam fornecimento garantido de gás pela estatal.

Mais importante: os contratos de compra da energia incluiriam garantias irrecusáveis da Petrobras, que se comprometia a assegurar uma receita mínima, à prova de prejuízo, para as termelétricas — mesmo se elas não funcionassem por falta de demanda ou se o preço no mercado caísse abaixo do esperado. Para manter a energia de reserva, o governo, num desvio apavorado de seu programa de privatização, dispunha-se a financiar generosamente o empresariado privado com verba pública e até a pagar por mercadoria que nem sequer fosse produzida. Como ensinam os manuais de administração mais rebarbativos, toda crise gera oportunidades. A de 2001 foi mais que oportuna para Eike Batista.

"A crise significava também colaborar para o desenvolvimento do país", interpretou Eike, em seu *O X da questão*. Entusiasmado com a chance de participar de tão lucrativa colaboração desenvolvimentista, uniu sua AMX a um sócio estrangeiro com experiência no setor, a MDU, e obteve financiamento do Eximbank americano, do BNDES e de bancos privados. Estava fundada a empresa de energia do grupo EBX, a MPX.

O banco estatal garantiu aproximadamente um quinto dos investimentos de pelo menos US$ 100 milhões. Em 2001, a MPX firmava o contrato com a Petrobras e partia para o canteiro de obras. No ano seguinte, Eike levaria o ex-governador do Ceará Tasso Jereissati, então em campanha eleitoral — bem-sucedida — para o Senado, para inaugurar a nova usina, batizada oficialmente de Termelétrica Carlos Jereissati, homenagem ao pai do ex-governador. E apelidada, até pelo próprio Tasso, de "Termoluma". (Por coincidência, o irmão de Tasso, Carlos, como o pai, era um dos donos da Macal Investimentos, de Dias Leite Neto, ex-sócio de Eike e que, àquela altura, já deixara há tempos o ramo de ouro e atuava na telefonia privatizada).

Quem acionou o botão para ligar a usina foi ela mesma, Luma de Oliveira, atração dos fotógrafos naquela tarde fresca de sol, a sessenta quilômetros do porto do Pecém, o principal do Ceará.

"Vim prevenida dessa vez, podem fotografar", disse sorrindo a mulher de Eike, aos jornalistas. Lembrava a visita ao Pecém, no ano anterior, quando o então presidente Fernando Henrique Cardoso testemunhara a assinatura de Eike do termo de instalação da termelétrica, enquanto Luma, mesmerizando fotógrafos e autoridades, pelejava contra a típica ventania cearense que teimava em levantar seu vestido amarelo.

Na segunda visita a Pecém, para a inauguração da "Termoluma", a musa do fundador da EBX trajava, sobre a roupa de baixo, um minúsculo short preto, que mostrou aos interessados, levantando o vestido de oncinha.

Eike sorria. Sua usina, de 220MW, capaz de atender a 20% do consumo de energia elétrica do Ceará, nos anos seguintes seria acionada raras vezes, em geral para serviços de manutenção. As chuvas voltaram ao país com força a partir de 2002 e tornaram a termelétrica dispensável. Mas a Petrobras, como previa o contrato válido até 2008, depositaria disciplinadamente o equivalente a US$ 4,8 milhões em média, todo mês, na conta da MPX e sua sócia estrangeira.

Dotado da visão de 360 graus como filosofia de trabalho, Eike, apesar dos fiascos que lhe roubavam a atenção, na época não deixou perder aquela chance oferecida pelo Estado, de criar um projeto a partir do zero, sabendo, antes mesmo de limpar o terreno para a obra, que não teria como perder dinheiro no negócio.

Era certeza. Mas durou pouco.

O ano de 2003 trouxe um novo governo, uma nova administração para a Petrobras e, para a EBX, uma dor de cabeça que atendia pelo nome de Ildo Sauer, nomeado diretor de Gás e Energia da estatal por indicação do partido vitorioso, o PT.

Cara de alemão tropicalizado, rosto redondo, lábios grossos, grandes cabelos brancos geralmente em desalinho, Ildo Sauer, doutor em Energia Nuclear pelo M.I.T., foi uma das estrelas na formulação das propostas para a área de energia na primeira campanha vitoriosa de Luiz Inácio Lula da Silva à presidência, apoiado pelos cientistas ligados ao PT. Ex-assessor da Marinha no programa nuclear brasileiro, fortemente nacionalista, o "professor Sauer" — por sua defesa apaixonada da atuação estatal no setor — havia entrado em conflito com a preferida de Lula para o Ministério de Minas e Energia, a pragmática Dilma Rousseff, ainda na transição de governo.

Crítico das soluções para o apagão, especialmente as que envolviam a Petrobras, Sauer, ao chegar à estatal, mandou calcular os custos de manutenção das termelétricas *merchant*. Além da usina contratada com a MPX, a Petrobras tinha contratos — e gastos pesados — com as usinas Eletrobolt, da americana falida Enron, e Macaé Merchant, da El Paso.

As três termelétricas, segundo o mercado, drenavam o caixa da estatal em US$ 50 milhões mensais a troco de praticamente nada. Não havia demanda para sua energia, mais cara que a das hidrelétricas, cujos reservatórios a chuva recomeçava a encher.

Anos mais tarde, Sauer seria removido da Petrobras pelos constantes atritos com a então ministra de Minas e Energia, Dilma Rousseff, e acusaria o governo de Luiz Inácio Lula da Silva de beneficiar Eike Batista ao permitir que arrematasse áreas de exploração de petróleo. Mas, no início do governo, teve carta branca para rever os contratos, considerados indesejáveis, com a EBX e outras companhias.

Somados compromissos e garantias às três *merchant*, a Petrobras, segundo avaliação da estatal, teria ainda de pagar US$ 2,1 bilhões por usinas que valiam US$ 800 milhões e continuariam de propriedade do setor privado após terminado o pagamento. Melhor seria promover uma renegociação, alegando mudança não prevista das condições originais dos contratos. Sauer ordenou a revisão contratual.

O que, para Eike, era um negócio à prova de idiotas parecia, para a Petrobras, uma provada idiotice, passada a urgência dos apagões.

Ainda em 2003, a Petrobras conseguiu comprar a termelétrica *merchant* da falida Enron. Propôs o mesmo negócio à MPX e à El Paso. Esta última recebia da estatal o equivalente a US$ 20 milhões mensais.

O contrato com a MPX, pelas contas de Sauer, obrigaria a estatal a pagar, desde o início das operações da "Termoluma", US$ 334 milhões em menos de cinco anos e meio. Entre 2002 e o começo de 2005, a subsidiária da EBX chegaria a receber cerca de US$ 122 milhões, segundo calculou o diretor da estatal, ao explicar ao jornal *Folha de S.Paulo* sua decisão de comprar as termelétricas.

Eike e a El Paso, porém, recusaram-se a abandonar suas lucrativas contribuições ao desenvolvimento do setor elétrico nacional. Sauer começou uma batalha judicial contra os dois e, no começo de 2004, durante nova ameaça de desabastecimento no Nordeste, a estatal negou-se a fornecer gás à Termoluma, alegando ter sua produção destinada ao Ceará totalmente comprometida com outras usinas a gás, com a produção de derivados e com a indústria petroquímica.

A então ministra de Minas e Energia, Dilma Rousseff, durante a posse do presidente da agência reguladora do setor, Haroldo Lima, foi provocada por jornalistas a falar sobre o problema e criticou a falta de fornecimento para as termelétricas. O governo estava às voltas com uma "escolha de Sofia", disse. Houve quem entendesse como uma crítica à Petrobras; podia ser apenas desconversa. O fato é que Sauer seguiu na briga, e Eike continuou sem gás.

No começo de 2005, após quase dois anos de negociações malsucedidas para comprar as termelétricas, a Petrobras resolveu dar um ultimato. Depositou em juízo os valores que deveria pagar à EBX e à El Paso e fez mais uma oferta pelas termelétricas, dando prazo de trinta dias para a negociação; caso contrário, contestaria na Justiça os pagamentos. Para a empresa de Eike, Sauer propôs comprar por US$ 127 milhões as instalações que só lhe davam despesa.

Na segunda semana de janeiro, Eike foi informado de que não receberia o pagamento regular da Petrobras. Irritado, marcou audiência com a ministra Rousseff e viajou a Brasília. Gramados muito verdes, com as cores reforçadas pelas bem-vindas chuvas de verão, cobriam o barro vermelho da capital quando Eike chegou ao aeroporto, à tarde, e foi informado, por assessores, de que a estatal havia feito em juízo o pagamento devido pela "Termoluma". Esbravejou.

Na Esplanada dos Ministérios, sob o ar-condicionado do gabinete da ministra Rousseff, ameaçou dar calote no BNDES. Não convenceu. Sem ouvidos no governo, voltou ao Rio de Janeiro e foi queixar-se à imprensa.

"Vamos entrar em *default*", disse Eike à jornalista Cláudia Schüffner, do jornal *Valor Econômico*, após acusar a Petrobras de "truculenta". A MPX devia cerca de U$ 70 milhões a credores como o BNDES, na avaliação do empresário. Ele disse ter recebido, da estatal, oferta de US$ 127 milhões pela "Termoluma", mas não aceitava vendê-la por menos de US$ 170 milhões.

"Se um empresário já não pode confiar na Petrobras ou na assinatura de um presidente da República, em quem vai confiar?", queixou-se à Tina Evaristo, repórter da revista *IstoÉ*. E disse que não venderia a termelétrica por menos de US$ 189 milhões. "O que eles estão fazendo é quebra de contrato, e afasta o investidor estrangeiro!"

Poucas semanas depois, em fevereiro, a Petrobras fechava acordo com a estrangeira El Paso, pagando US$ 357 milhões (e economizando mais de US$ 380 milhões que seria obrigada a gastar até o fim do contrato original, sem ter direito a ficar com a termelétrica, nas contas de Sauer). No fim de março, apesar das ameaças, Eike fechava também o acordo com a "Termoluma", aceitando US$ 137 milhões, apenas US$ 10 milhões acima da oferta inicial.

Para Sauer, com a compra, a Petrobras havia transformado "um negócio escandaloso em um péssimo negócio", economizando pouco menos de US$ 180 milhões em relação ao que previa o oneroso contrato original. Em nota ao mercado, a MDU classificou o acordo de "mutuamente satisfatório", benéfico aos acionistas e parceiros das duas empresas sócias na "Termoluma".

Eike, anos depois, incorporaria a transação com a Petrobras à sua contabilidade de sucessos empresariais. "Investi US$ 100 milhões e, em 2005, vendi a termelétrica à Petrobras com lucro de US$ 50 milhões", vangloriou-se o empresário na sua autobiografia.

Más lembranças sobre a "Termoluma", no espaçoso escritório de Eike com vista de tirar o fôlego para o cenário das praias do Flamengo e de Botafogo, só a recordação do corte de fornecimento de gás pela Petrobras. O empreendedor convenceu-se de que era preciso buscar fornecimento próprio para os projetos seguintes da MPX. E optou por um combustível polêmico, o carvão mineral — que tem defensores entre técnicos do Ministério de Minas e Energia e inimigos irados entre os ecologistas, para quem o carvão está entre as fontes de combustível mais agressivas à atmosfera.

A opção pelo carvão mineral rendeu a Eike o ódio de ambientalistas e, mais tarde, bloquearia seu caminho para construir no Chile o que seria a maior termelétrica a carvão da América do Sul, na região de Antofogasta, no Norte do país. A termelétrica chilena, um investimento da MPX estimado em US$ 4,4 bilhões, abasteceria mineradoras, inclusive a que a EBX pretendia instalar na mesma região, de Copiapó, onde obteve direitos de exploração de cobre e ferro. Moradores e pescadores da região levantaram-se contra a ideia de criar ali uma usina a carvão. Vereadores da cidade onde ficava a termelétrica chegaram a acusar Eike de subornar o prefeito local (a MPX alegou ter feito um pagamento por publicidade a ele). Em 2012, a Justiça do Chile embargou a obra.

A MPX buscou reservas de carvão no Brasil e no exterior. Na Colômbia, comprou uma mina importante, que, muito antes de se tornar produtiva, ele já dizia ao mundo ser sua fonte de 35 milhões de toneladas anuais para empreendimentos energéticos. Eike, com o sonho de implantar termelétricas pelo litoral brasileiro, lançou-se a mais uma tentativa de criar projetos a partir do zero, os projetos *greenfield*, que criam valor e infraestrutura — o tipo de iniciativa louvado pelos admiradores que mantém até hoje.

Teve, porém, de comprar carvão de outros fornecedores, porque nunca tirou o mineral de suas minas colombianas. No fim de outubro de 2013, essas minas seriam vendidas a uma empresa turca de mineração e logística acostumada a comprar empreendimentos em dificuldades, a Yildirim Holdings, após um desconto de US$ 75 milhões no preço pedido anteriormente a outra companhia.

Enquanto a EBX mantinha suas propriedades na Colômbia, vários interessados em aproveitar o combustível de Eike saíam assustados das conversas com o empresário, ao descobrir que ele não tinha nada além dos direitos de exploração do minério da mina de que ele tanto falava. Pelo menos um governo latino-americano teve conversas de alto nível com Eike, intermediadas pelo Itamaraty, e encerrou as discussões após ver que os planos carboníferos do empresário ainda estavam no papel.

Eike incluiu termelétricas a gás em seu portfólio de projetos e conseguiu, apesar dos tropeços, seguir com a MPX, que se tornou um patrimônio importante na EBX, trunfo a ser usado no futuro para enfrentar as turbulências que derrubaram seus negócios. A MPX foi a empresa que, na derrocada da EBX, até o desmembramento do grupo, em 2013, menos perdeu valor na bolsa de valores entre os empreendimentos de Eike; e foi a primeira ter o controle transferido a outras mãos, após o fiasco do empresário.

Na formação da MPX, como em outros empreendimentos, sócios estrangeiros foram chamados ao negócio; buscou-se financiamento no mercado de ações e no governo; confiou-se na "sinergia" com outras empresas do grupo EBX; e cometeu-se um erro recorrente: puseram-se caravanas de despesas à frente das receitas incertas que deveriam puxá-las.

Em seu livro, Eike contou, orgulhoso, que sua MPX "havia se tornado autossuficiente em combustível muito antes" do imaginado. Era sonho; o que ele não imaginaria, de fato, era a demora que sofreria para garantir suprimento às suas usinas a carvão.

Eike associou-se à EDP portuguesa para construir termelétricas no Nordeste, sempre próximas a portos, para facilitar o abastecimento. As usinas a gás em construção do afobado empresário eram ainda incapazes de acender sequer uma única lâmpada quando a MPX assumiu compromissos ambiciosos para fornecer energia, oferecendo, no leilão oficial realizado em 2007, a produção de suas termelétricas de Itaqui, no Maranhão, e Pecém, no Ceará. Estava aí outra característica dos negócios X, a pressa em fazer anúncios grandiosos que geravam expectativas positivas e ajudavam a elevar o valor das empresas.

Os exaustivamente anunciados contratos com futuros clientes foram muito úteis para atrair potenciais investidores. A propaganda da EBX mostrava que as usinas, antes mesmo de construídas, já tinham demanda assegurada por mais de uma década. No mesmo ano em que entrou vendendo a energia que não tinha nos leilões do governo, Eike abriria o capital da MPX, oferecendo ações da empresa nas bolsas de valores. Evidentemente, os contratos de venda da energia ainda inexistente eram um dos chamarizes para os futuros acionistas.

Limitado, por cautela da bolsa de valores, a "investidores qualificados", com disposição a comprar, no mínimo, R$ 300 mil em ações, o lançamento dos papéis da MPX, em 2007, rendeu R$ 1,9 bilhão a Eike, que ainda manteve o controle de pouco mais de 70% da companhia e contou com uma ajudinha governamental. O BNDES comprou R$ 179 milhões em ações; em 2011, ainda compraria mais 676 milhões em debêntures (títulos de dívida conversíveis em ações) destinados a financiar os investimentos da MPX no Maranhão e na mina de carvão da Colômbia.

No prospecto aos investidores, a EBX gabava-se da venda, dois meses antes, da energia das termelétricas do Nordeste, em contratos de 15 anos, e previa gerar em breve o equivalente a quase 70% da energia da maior hidrelétrica do país, a usina de Itaipu. Seriam (mas nunca foram) 9,7 mil MW de energia, mais da metade disso gerada na sua termelétrica a carvão a ser instalada no Porto do Açu — que não chegou a ser construída e teve, em 2013, sua licença ambiental cassada.

Em fevereiro de 2012, as reviravoltas do mercado ameaçaram engolfar a credibilidade de Eike, e as ações da MPX caíram mais de 20%, dos quase R$ 1 mil do lançamento para R$ 799. Valeu ao empresário seu misto de generosidade e habilidade mercadológica: anunciou a transferência, para a MPX, dos 30% que seu fundo pessoal, o Centennial Asset, detinha em dois projetos da empresa, as termelétricas do Açu e do Chile.

"Transferi mais de R$ 1 bilhão", contabilizou, exageradamente, como sempre, o empresário, cuja iniciativa foi celebrada como uma demonstração de compromisso com os acionistas. Como ele detinha 70% da MPX, na prática, a maior parte da transferência foi para ele mesmo; os demais acionistas receberam 9% das ações nos projetos do Açu e do Chile — que, anos mais tarde, seriam, ambos, brecados por autoridades ambientais. Por muito tempo, porém, o gesto foi lembrado como um sinal positivo no balanço de avaliações do executivo controlador da EBX, e ajudou a atrair mais interessados nos outros projetos da empresa.

8. Termelétrica não mais se escreve com "X"

O compromisso assegurado de compra da futura energia das termelétricas a gás, que parecia vantajoso no ano de abertura de capital da MPX, mostrou-se um equívoco de 360 graus: adiamentos nas obras e na operação das termelétricas, por dificuldades das empreiteiras ou demora nos licenciamentos, fizeram com que a MPX atrasasse sua produção própria e fosse obrigada a comprar, de outras geradoras, energia mais cara para entregar aos clientes, acumulando prejuízos.

Em 2012, as perdas anuais da empresa de energia da EBX aumentariam 6,5% em relação ao ano anterior, chegando a R$ 435 milhões. A usina de Pecém I, no Ceará, que deveria ter entrado em funcionamento naquele ano, era responsável, sozinha, por uma perda de R$ 117 milhões. O balanço de 2012 registrou aumento de mais de duas vezes e meia nos custos de operação da MPX. Entre as razões para essa conta, estava o gasto adicional, acima de R$ 230 milhões, para atender aos clientes com energia comprada de outras empresas no mercado.

A termelétrica seguiria frustrando seus controladores. No primeiro trimestre de 2013, o último de Eike no comando da companhia, o prejuízo cresceu 223% em relação ao mesmo período do ano anterior, e passou dos R$ 250 milhões. Os trimestres seguintes também foram de prejuízos crescentes. O criador da MPX devia explicações. Mas preferiu animar a torcida.

"Com 10 GW em projetos licenciados, a MPX está preparada para se tornar uma das maiores empresas privadas de energia do país #EquipedoEike", informava o comandante do grupo EBX, em 28 de março de 2013, por sua conta no *Twitter*.

A MPX, que nasceu com apoio oficial no governo de Fernando Henrique Cardoso, recebeu ainda mais ajuda do BNDES nos governos seguintes, de Lula e Dilma. Foi a companhia do grupo EBX a receber o maior empréstimo do banco, mais de R$ 4 bilhões, dos quais R$ 1,4 bilhão para financiar a termelétrica de Pecém; o maior empréstimo isolado a um empreendimento de Eike.

Apesar do mau desempenho, a MPX manteve, até 2012, rendimentos para suas ações próximos aos do índice da Bovespa, que capta a valorização média da bolsa de valores de São Paulo. Conseguiu, finalmente, ocupar papel importante no abastecimento de energia nacional, ao inaugurar seu complexo Parnaíba, comprado em 2011 do grupo Bertin, outro grande grupo brasileiro que fracassou em suas ambições no setor de energia. A inauguração do complexo do Maranhão, porém, só ocorreria em 2013, e já não contou com a presença de Eike, que, meses antes, vendera o controle da empresa a sua sócia alemã, a E.On, ficando com uma parcela minoritária das ações.

A MPX havia mudado de controlador após muitos esforços de negociação por parte de Eike e assessores — e garantias do BNDES aos alemães de que o futuro dono da MPX teria asseguradas linhas de financiamento para concluir os investimentos programados. Ao finalmente inaugurar a termelétrica do Maranhão, a empresa repassada aos alemães por Eike havia virado as costas ao Império X, e atendia até por outro nome, Eneva.

"Sempre acreditei que o Criador tinha guardado uma grande riqueza para o Maranhão, e hoje, aqui, nós passamos a aproveitar essa riqueza", comemorou o senador — pelo Amapá — José Sarney, ao falar, após a inauguração, ao programa "Bom Dia Maranhão", da TV Globo. O "Criador" citado por Sarney era, claro, Deus, Todo-Poderoso. Ninguém quis se lembrar do inventor da empresa ou das origens no grupo EBX. Eike, ainda sócio da Eneva, mas minoritário, tornara-se duplamente passado, mencionado na reportagem como o ex-dono da ex-MPX.

É fácil, olhando em retrospectiva, apontar as falhas de Eike no mundo da energia. Mas seus defensores podem lembrar sempre que, na implosão do Império X, permanecerão de pé suas instalações termelétricas. Outros, como ele, também imaginaram lucrar com a privatização do setor de infraestrutura, atrapalharam-se nos planos e na execução e foram engolidos por suas ambições.

Em meados de outubro de 2013, já conhecida como Eneva, a ex-MPX era, entre as empresas do Império X, a de maior valor na bolsa, segundo levantamento da Economática feito para este livro: cerca de R$ 3,3 bilhões, mais de uma vez e meia o patrimônio líquido registrado no primeiro semestre do ano. Seu prejuízo no primeiro semestre somava, porém, R$ 484 milhões, e a dívida líquida chegou a R$ 4,6 bilhões, só abaixo da quebrada OGX, de petróleo, entre as companhias do grupo.

Com esse pesado lastro de débitos, ainda assim, a Eneva, impulsionada pela boa vontade de acionistas e credores, pelas termelétricas, usinas eólicas prestes a entrar em funcionamento e contratos de 15 anos assegurados para fornecer energia, podia deixar para trás o naufragado grupo EBX.

Para não abandonar a metáfora náutica, ramo que deu recordes e prêmios a Eike Batista, pode-se dizer que, nos anos 2000, o comandante da EBX conseguiu pilotar seu empreendimento de energia em meio à alta visibilidade, encalhar e, ainda assim, sair sem abalar sua imagem de campeão dos negócios no setor. Como conseguiu essa façanha? É evidente, hoje, que tinha mais que os "olhos de águia" de que se gabava nos negócios.

Um dos seus maiores defeitos foi a precipitação e a ânsia em anunciar resultados incertos, que lhe valorizavam a imagem e as ações. Abstêmio, o comandante do grupo EBX tem um ponto em comum com as grandes marcas de cerveja nacionais: naquele início de carreira pública, seu maior trunfo de marketing eram a aura — enganosa — de sucesso e o aval de uma mulher bonita, *sua* mulher, a elétrica Luma de Oliveira, capaz de ofuscar os aspectos pouco brilhantes das aventuras empresariais do marido.

Logo, outra mulher muito mais importante apareceria na vida de Eike e lhe daria o estofo de que precisava para convencer financiadores, acionistas, analistas e jornalistas a subestimar os prejuízos das empresas X e acreditar em suas promessas de um futuro de riquezas.

9. A MARCA DE BILHÕES

"Aí eu disse: 'agora estou sozinho; como faço para deixar minha marca no mundo?'", perguntou-se Eike Batista após a separação de Luma, segundo contou o próprio magnata ao jornalista Charlie Rose, da emissora americana PBS, em uma entrevista de cinquenta minutos. "A psicologia explica um pouco isso", autoanalisou-se Eike Batista, provocado pelo entrevistador.

Ao mencionar a entrevista, em um magistral perfil para a revista *Piauí* sobre o ex-colaborador de Eike Rodolfo Landim, o jornalista Luis Maklouf de Carvalho notou que a versão do vídeo exibida no site da EBX expurgara esse trecho, em que Eike dizia também ter aceitado por muito tempo ser apenas "o marido de Luma".

Separado da modelo, logo após concluir a venda lucrativa da "Termoluma" à Petrobras, Eike criou, em 2005, sua plataforma de lançamento para o mundo dos grandes bilionários. A base era a mais tradicional possível: a mineração, terreno familiar, onde o pai tinha um poderoso mapa de conexões, e ele, a audácia e também os direitos de explorar áreas de reservas minerais em Minas Gerais, no Amapá e no Mato Grosso do Sul, comprados, em grande parte, em momentos de baixa no preço do minério. Nasce, naquele ano, a MMX, a companhia de extração de minério de ferro da EBX, um dos ativos mais sólidos do grupo — e dos primeiros a serem desmembrados, até antes da queda do império de Eike.

Os preços do minério de ferro haviam caído quase 40% entre os anos 1960 e 1990, e continuaram em queda nos dez anos seguintes. A Vale, privatizada em 1997, detentora dos direitos de exploração de grande parte das jazidas do país, aproveitou o momento ruim do mercado no início dos anos 2000 para comprar, integralmente ou em parte, mineradoras já ativas no mercado brasileiro, como a Caemi, a Ferteco, a Samarco e a Samitri, concentrando poder no setor. Para isso, desfez-se do que considerava ativos pouco compensadores, como direitos em áreas pouco promissoras, com menor concentração de minério e maiores custos de exploração.

Cientes de que, no mundo dos minérios tudo o que cai um dia tem de subir, ex-dirigentes da Vale e especuladores do setor compraram os direitos de mineração dispensados pela ex-estatal. O filho de Eliezer Batista, especialista do setor, não chegou a participar desses negócios, pelo menos não a ponto de deixar registro relevante. Mas entrou na segunda onda, quando alguns desses direitos já estavam à venda pelos primeiros compradores, e analistas mais atentos já apontavam perspectivas de melhoria do mercado.

Com direitos de mineração no Norte, Centro-Oeste e Sudeste, Eike partiu para prospectar recursos humanos. Calcula-se que tenha contratado cerca de noventa funcionários da Vale para o que se tornaria sua MMX. No começo de 2006, telefonou ao senador petista Delcídio Amaral, ex-dirigente da Petrobras e grande amigo de seu pai, lembrou seus planos de atuar em Corumbá, no Mato Grosso do Sul, estado de atuação do político, e lhe perguntou: "E esse Rodolfo Landim? Será que ele não toparia vir trabalhar comigo?"

Executivo respeitado, há 26 anos na Petrobras, Rodolfo Landim já havia trabalhado na empresa com Delcídio, quando chefiou a Gaspetro, subsidiária da estatal. Presidente da BR Distribuidora, ele cobiçava o posto de diretor de Exploração da Petrobras e acreditava ser alvo de uma campanha de desmoralização na empresa patrocinada pelo recém-nomeado presidente da estatal, José Sérgio Gabrielli, que tinha candidato próprio para aquela diretoria. Por meio de um *headhunter*, especialista dedicado a buscar e colocar executivos no mercado, o alvo da curiosidade de Eike já havia acertado a ida para o grupo de supermercados Pão de Açúcar, do empresário Abílio Diniz. "Diga a ele para me ligar", pediu o dono do grupo EBX a Delcídio.

Landim telefonou, marcou encontro, mas para dizer que já tinha compromisso com as empresas de varejo de Abílio. Ao saber da conversa, Delcídio pressionou o executivo. Lembrou-lhe que não tinha nenhuma afinidade com o ramo onde estava ingressando; e falou das operações de Eike em minas e metalurgia e do interesse do empresário em entrar no setor de óleo e gás. Uma segunda conversa — com promessas de US$ 1 milhão de luvas, e um salário mensal em torno de R$ 150 mil, mais bônus generosos — bastou para que Landim pedisse a Abílio o fim do compromisso e embarcasse na EBX, em abril daquele ano. Tornou-se braço direito de Eike. Por algum tempo.

Em 2001, o influente economista Jim O'Neill, dono de um nariz protuberante e queixo pontudo que o fazem lembrar vagamente alguns humoristas britânicos, decretou, de sua cadeira no comando do banco de investimento Goldman Sachs, que havia chegado o momento de os países emergentes assumirem a liderança na economia mundial. Ele nomeou os países predestinados ao sucesso, todos grandes mercados consumidores, com taxas razoáveis ou impressionantes de crescimento econômico, e enorme potencial para atrair investimentos. Uniu seus campeões em uma sigla que se tornaria famosa: BRIC, de Brasil, Rússia, Índia e China. Esta última, dois anos depois, apareceria no mapa econômico mundial com um enorme apetite por recursos naturais, para alimentar seus 1,3 bilhão de habitantes e sua indústria crescente.

Os preços do minério de ferro seguiram o ritmo chinês e decolaram. O mundo começava a assistir ao chamado "boom das commodities", a alta recorde nos preços de recursos naturais, quando Eike decidiu montar sua empresa de minério. Ele previa, com acerto, que a China passaria a ser o "fator-chave", e com grande apetite, na demanda por minério de ferro no mundo — e que não faltariam interessados dispostos a se associar em um investimento desses.

Com Landim à frente, Eike montou a empresa, reunindo seus direitos e projetos em três grupos, que chamou de Sistema Amapá, Sistema Corumbá e Sistema Minas-Rio, todos prevendo exploração de minério, usinas e, em alguns casos, até portos, em sua maioria ainda em fase de projeto.

Sua mina de Corumbá era a única a produzir minério, de onde sonhava extrair um milhão de toneladas em seu primeiro ano e construir, ao lado, uma usina de ferro-gusa (liga de ferro e carbono, etapa na produção de aço). Havia extraído pouco mais de 110 mil toneladas no primeiro semestre de 2006 quando, mais uma vez, antes de ter alguma produção significativa, Eike mostrou ser capaz de transformar uma empresa virtual em dinheiro vivo: naquele ano, a MMX era oferecida, com êxito, na bolsa de valores.

Foi um sucesso, o maior lançamento de uma empresa na bolsa de valores de São Paulo até então. Os acionistas compraram pouco mais de R$ 1,1 bilhão e veriam o valor de suas ações mais que quadriplicar nos 18 meses seguintes. A fama de criador de fortunas começava bem e iria melhor ainda logo em seguida. O tom exagerado de Eike na venda de seus projetos pareceria, a muitos, entusiasmo bem-fundamentado.

Como sinal do exagero nas avaliações que orientariam a propaganda da MMX, a empresa, sete anos depois, em agosto de 2013, seria obrigada a descontar de sua contabilidade pouco menos de R$ 190 milhões, registrados como parte do valor de sua mina em Corumbá. Eram "ativos não recuperáveis", sonhos não realizáveis de quase duas centenas de milhões. O presidente da MMX, Carlos Gonzales, anunciaria naquele mês o interesse em vender a mina mato-grossense e, em setembro, explicaria ao jornal *O Estado de S. Paulo* a razão: "É uma operação em um estado diferente, com uma produção pequena e uma situação complexa de logística." A usina de ferro-gusa chegou a ser concluída e vendida em 2009.

Quem se desse ao trabalho de ler as mais de 630 páginas do edital de lançamento da MMX, como qualquer investidor consciente, veria lá as muitas incertezas do projeto. A operação da estrada de ferro do Amapá, por onde transportariam minério no Norte não tinha "as competentes licenças ambientais". Faltavam as autorizações para passar, por quase 525 quilômetros, com o mineroduto que ligaria as jazidas de ferro em Minas Gerais ao porto. "Contamos apenas com concessões de lavra na mina Corumbá, estando os direitos minerários da mina Amapá e da mina Minas Gerais em fase de pesquisa, não há garantia de que obteremos as correspondentes concessões de lavra."

Anos depois, a MMX teve problemas de outra ordem com a ferrovia, e as concessões de lavra, que permitem a exploração das minas, foram obtidas. Mas as advertências iam além, deixavam claro que a empresa tinha muitos projetos e quase nenhuma instalação, e não escondiam o alto grau de incerteza associado à debutante empresa do grupo EBX.

O braço mineral da EBX era o que se conhece como "empresa pré-operacional", um conjunto de direitos e expectativas à procura de um financiador. Um mérito de Eike: ele não foi aos bancos oficiais, nesse começo, após coletar memorandos de entendimento com possíveis compradores no Japão e em outros países onde o pai, reverenciado, mantinha uma vasta rede de contatos. Antes de atrair acionistas à empreitada, buscou a maior parte dos empréstimos na banca privada.

Para seu Sistema Corumbá, a mina de minério de ferro que já estava em funcionamento, com pequena produção, ele obteve uma linha de crédito de US$ 26 milhões dos bancos Unibanco, Itaú e ABC (este último, é verdade, prevendo intermediar financiamento do BNDES). Do Credit Suisse, recebeu a promessa de financiar a usina prevista para a ferro-gusa, destinada aos mercados asiáticos.

Para os dois outros ramos da MMX, o Sistema Amapá e o Sistema Minas-Rio, que previam a construção de portos e um ambicioso duto de transporte de minério atravessando mais de três dezenas de municípios, assinou outros contratos, a serem confirmados, de até US$ 1,1 bilhão, com os bancos ABC e Itaú BBA. A MMX recebeu uma "sinalização" do banco Unibanco de uma linha de crédito de US$ 1,5 bilhão, "sujeita às condições usuais de mercado", como a negociação de garantias. Eram tão boas as relações de Eike com seus financiadores, que o responsável pela área comercial do Unibanco, Nicolau Chacur, anos depois se tornaria diretor-executivo da EBX e de várias de suas coligadas.

A separação de Luma obrigara Eike a perguntar-se que marca poderia deixar no mundo. A influência do pai, Eliezer Batista, também explica "um pouco isso", dos planos do criador da EBX a sua ambição "antipuxadinhos".

Eliezer é uma lenda na história econômica brasileira, um marco da exploração dos recursos minerais e da infraestrutura do país. Foi pioneiro ao usar a logística — estradas, portos e navios — para transformar em ótimo negócio a exportação de matéria-prima de baixo valor para destinos longíquos.

Nos anos 1960, Eliezer inspirou a criação da Docenave, a empresa de navegação da Vale do Rio Doce, que presidiu, e conseguiu atropelar as restrições do orçamento para construir o Porto de Tubarão, em Vitória. Com gigantescos navios de minério, sem equivalente no mundo, Eliezer fez o Brasil, no extremo oposto do planeta, competir com a Austrália na exportação de ferro para o Japão, que começava a refazer sua indústria, destruída pela Segunda Guerra, sob olhares desconfiados dos países desenvolvidos.

Compensando os altos custos com maior escala de produção e transporte em grande volume, o pai de Eike criou, na exportação, o conceito de "distância econômica", que, mais tarde, seria usado pelo Japão para exportar seus manufaturados ao Ocidente. Ao voltar nos anos 1970 ao governo, com seu projeto em Carajás, rasgando a floresta com trilhos de estrada de ferro, Eliezer provaria mais uma vez a importância da infraestrutura de transportes na criação de grandes negócios de exportação de minério.

Veem-se traços de Tubarão e Carajás em todo projeto de Eike, até em sua mania de imaginar qualidades superlativas para suas empresas. A marca que Eliezer deixou no mundo ficou também gravada na vontade do filho. "Minério é logística", dizia Eike, repetindo Eliezer. Seus projetos "integrados" seriam capazes de "desembaraçar gargalos" para o desenvolvimento do país, enquanto o empreendedor visionário firmava o passo em direção à riqueza sem concorrência.

Eike nunca disse se também acha que a psicologia explica por que, apesar da ajuda do pai em seu começo de carreira no ramo dos minérios, sempre mostrou certo ressentimento contra ele, misturado à admiração. "Quem nos educou até termos 18 anos foi minha mãe; meu pai era ausente", disse, na TV, à jornalista Marília Gabriela, em entrevista de março de 2011, na qual elogiou, porém, o papel de Eliezer na história do país.

O tema da ausência do pai na infância e na juventude era recorrente nas entrevistas do criador da EBX. O reconhecimento das qualidades paternas também. "Quando Deus decidiu dar dotes a meu pai deu tudo pra ele, é um homem da *Renaissance*", descreveu. "Só que, na fila, lá, quando Deus estava dando os dotes, ele deixou um pra mim, o talento para ganhar dinheiro."

Marília Gabriela quis saber se havia afeto pelo pai. "Engraçado que isso veio depois, e também com a morte de minha mãe", respondeu. E lembrou que uma das razões da "aproximação maior", nos nove anos anteriores, seriam os negócios X. Negócios que o pai sempre ajudou discretamente, desde o nascedouro, e que, em 2013, com 89 anos, ainda acompanharia, buscando ajuda externa para reduzir prejuízos do filho.

Já a presença de mulheres bonitas e arrojadas na carreira do criador da EBX nada tem de psicológico. Pode ser atribuída a coincidências, à vontade divina ou a forças ocultas que os supersticiosos, como ele, imaginam orientar o destino. O vendedor de seguros abençoado na estreia por senhorinhas alemãs, que ganhou um empurrãozinho da competitiva Rebecca Mark em seus primeiros passos como empreendedor serial e que se tornou célebre ao se casar com uma beldade nacional ainda tinha outra dama na manga. Com ela, espantaria e encantaria os mercados, abrindo caminhos para o enriquecimento delirante.

Loura, *mignon*, de olhos muito azuis, elegante, mãe de quatro filhos e sem nenhum escrúpulo quando se tratava de demitir para cortar custos, Cynthia Carroll foi a primeira pessoa do sexo feminino e, além disso, a primeira nascida fora da África do Sul a chegar ao topo do comando da Anglo American, uma das maiores mineradoras do mundo. Mal tinha mandado trocar o papel de parede escuro e a mobília pesada e antiquada das instalações da Anglo American por uma decoração mais moderna e arejada quando viu, nos projetos de Eike para o minério de ferro, uma oportunidade de ouro.

Era o que Carroll imaginava para diversificar o portfólio da companhia que ela começava a dirigir em 2007 — e a sacudir, com seu estilo dinâmico. As cotações das commodities e outros recursos naturais alcançavam o auge, assim como a bolha especulativa nos mercados financeiros, que estouraria no ano seguinte. Mas o que Cynthia Carroll podia ver naquele momento era a lerdeza da Anglo American, ultrapassada pelas concorrentes de maior agilidade.

Ela não precisava provar seu valor: geóloga de formação com MBA em Harvard, havia chegado ao topo como primeira *outsider* no comando da Anglo American por seu histórico de empresária bem-sucedida. Ao assumir, era uma das únicas três mulheres no comando das cem principais companhias listadas na bolsa de Londres;

seu marido, administrador, deixou o emprego para cuidar dos filhos e da casa enquanto ela se dedicava aos negócios.

Cautelosa nos contatos com a imprensa e decidida no trabalho, ela mostrou, ao chegar ao emprego, que não a impressionavam a longa tradição da companhia e seu *staff* conservador. Sem se intimidar com os custos, mandou fechar, para retreinamento de funcionários, uma importante mina na África do Sul que a deixara horrorizada com o alto número de acidentes fatais, marca tradicional e desabonadora no currículo da empresa. A briga pela melhoria das condições de trabalho nas minas sul-africanas incorporou-se ao currículo dela como um de seus maiores êxitos, embora não tenha sido suficiente para deter infindáveis greves nas operações no país, que a desmoralizariam no futuro.

Na busca de oportunidades de mineração, Carroll decidiu-se pela MMX em abril 2007, quando fez a primeira aposta na companhia, ao comprar, por US$ 1,15 bilhão, 49% do Sistema Minas-Rio. Era a maior de uma série de aquisições feitas por ela. Pouco depois, compraria por US$ 400 milhões um projeto de exploração de cobre no Peru. Mais uma vez, Eike tinha um aval de prestígio internacional — agora bilionário — na qualidade de um de seus projetos.

A ninguém pareceu ser um capricho a incursão brasileira de Carroll, que sobrevoou o litoral de Angra dos Reis com Eike, enquanto ele a seduzia para se associar ao grupo EBX. Muitos outros investidores, além da executiva da Anglo American, confiaram dinheiro nos planos de mineração de Eike Batista, e a fome por papéis da MMX era prova disso. O total das ações da MMX, que, segundo levantamento da Economática, valia pouco mais R$ 3 bilhões em julho de 2006, mês de lançamento, passou de R$ 6 bilhões em março do ano seguinte.

A decisão de Carroll ligaria seu destino e o da Anglo American ao de Eike, com evidentes vantagens para ele. "Temos muita confiança em Eike Batista e em sua equipe gerencial", comunicou a todo-poderosa da Anglo American ao mercado, prevendo uma "longa parceria" a partir daquele investimento no "excitante projeto de minério de ferro".

Enquanto, em Londres, a executiva exibia o negócio como sua grande aposta na diversificação dos investimentos da Anglo American, Eike, no Brasil, o ostentava como sinal de mais ganhos à frente para quem se juntasse a ele. Por um tempo, esteve certíssimo. Naquele ano, a MMX chegaria às festas de Natal valendo R$ 14,3 bilhões na bolsa de valores, uma valorização de quase 480% em dois anos e meio.

A tonelada do minério de ferro, que valia US$ 65 na época do lançamento da empresa, também estava em plena escalada de preços: em 2007, chegava a US$ 85 e, em 2008, a US$ 140. A demanda chinesa era à prova de temores.

Os 28,9% da MMX, postos à venda com a abertura da empresa ao mercado de ações, garantiram R$ 1,9 bilhão a Eike. O sucesso o encorajaria a lançar no mercado de ações sua empresa mais antiga, a MPX, em dezembro.

No primeiro mês de existência da MPX como companhia negociada em bolsa, segundo os cálculos da Economática, o valor total da empresa, medido pelo preço alcançado no mercado de valores, foi de R$ 6,9 bilhões. Em janeiro de 2008, porém, houve uma forte queda nos preços das ações. Eike ignorou os conselhos de dirigentes da EBX para que deixasse o mercado se recuperar sozinho e transferiu aos acionistas da companhia parte das ações que seu fundo de investimentos no exterior, o Centennial Asset Mining, detinha em outros empreendimentos do grupo EBX, valiosos à época. Com o sucesso da MMX e o apoio providencial do acionista controlador à MPX, o grupo EBX consolidava um importante patrimônio de credibilidade para o futuro próximo, quando seria a vez de sua empresa de petróleo, a OGX, lançar-se na bolsa, levando Eike ao pico da riqueza global.

Também em janeiro de 2008, nove meses depois da compra de 49% do Sistema Minas-Rio pela Anglo American, nascia um novo fruto do relacionamento entre Eike Batista e Cynthia Carroll: a empresa com sede em Londres anunciava a decisão de comprar, pela soma inacreditável de US$ 5,5 bilhões, o restante do Sistema Minas-Rio e o Sistema Amapá. "Os dois projetos são um grande ajuste estratégico para a Anglo American", comunicou a executiva. Eike deixava, finalmente, uma marca notável na história do capitalismo nacional. A aposta da Anglo American lhe deu a visibilidade que desejava: não era mais o "marido de Luma", mas o empresário habilidoso capaz de atrair investimentos colossais para suas ideias. Essa marca renderia dividendos também colossais, a ele e à EBX, nos anos seguintes.

Para fazer a transação, Eike dividiu a MMX em três: uma parte, a vendida à Anglo American, ganhou o nome de Newco, depois IronX; as atividades de logística, que incluíam o Porto do Açu, no Rio de Janeiro, foram concentradas em outra empresa, a LLX Logística; e os demais ativos da empresa original, entre eles as minas de Corumbá, mais tarde somadas a outras áreas de mineração em Minas Gerais, permaneceram como MMX.

Os US$ 5,5 bilhões anunciados eram o preço a ser pago pelas ações de Eike e dos minoritários da MMX que cedessem sua parte no Sistema Minas-Rio, abrigado pela Newco. Nos dois projetos vendidos a Carroll, a EBX tinha basicamente direitos de mineração e projetos de logística. No Amapá, Eike conseguira a concessão de uso da estrada de ferro operada pelo governo estadual, e acabou por vender a um antigo sócio a mina de ouro que também chegou a manter por lá.

A Minas-Rio, vendida a Cynthia Carrol, era, como mais tarde definiria o próprio Eike, o "filé" da MMX. Esse "sistema", de mina, mineroduto e porto, segundo o prospecto de lançamento da companhia na bolsa, seria o pedaço da MMX onde a EBX investiria 66%

dos recursos obtidos com a venda das ações. Combinados, os planos da Minas-Rio compunham o que, no país, costumou-se chamar de "projeto faraônico" — embora quase nunca a expressão tenha sido aplicada publicamente aos ambiciosos planos do empresário.

O filé se provaria indigesto para Cynthia Carroll, mas, antes, o negócio de bilhões passaria por uma crise. Policial.

10. O ferro de Cynthia

Em julho, Eike estava em viagem com os filhos nos Estados Unidos, quando sua luxuosa mansão no Jardim Botânico tornou-se a versão real de um cenário de novela: pela parede envidraçada por onde o empresário, sentado no sofá, costumava contemplar sua Mercedes estacionada na sala, o que se viu foi um grupo de agentes da Polícia Federal, com mandado de busca e apreensão de computadores e documentos do proprietário da EBX.

Aos funcionários perplexos, os policiais explicaram que executavam a operação Toque de Midas, referência explícita à lenda grega sobre o rei que transformava em ouro tudo o que tocava — mas também ao milionário com fama de ter sucesso em tudo. As empresas de Eike, nos mandados da Polícia Federal, eram acusadas de sonegação na venda do ouro e de participação em fraude na licitação da linha férrea a ser usada pelo Sistema Amapá — que acabara de ser vendido a Cynthia Carroll.

Para a Controladoria Geral da União, órgão de controle do Executivo, havia indícios de "limitação à competitividade" na licitação da estrada de ferro e inexistência de critérios claros para definir os preços pagos pela empresa de Eike. Para a PF, o principal responsável pelas supostas irregularidades teria atuado como arrecadador da campanha do governador Waldez Góes, do PDT, para a qual Eike havia sido o maior contribuinte, com R$ 200 mil.

A Polícia Federal alegava ter flagrado, em escutas telefônicas, o diretor da EBX Flávio Godinho, faz-tudo de Eike na empresa, tratando das supostas irregularidades. A EBX mostrou que as conversas de Godinho eram posteriores ao acordo com o governo do Amapá; divulgou os investimentos feitos na ferrovia, até então ociosa; e negou as acusações, lembrando ter sido o único grupo a apresentar proposta para operar a estrada.

O episódio levou Cynthia Carroll a anunciar a suspensão do negócio. O prejuízo para o grupo EBX foi considerável, embora nem toda a movimentação de preços nas ações da EBX, naquele momento, possa ser atribuída ao incidente policial. A intriga se passava no mesmo mês em que a alta do petróleo levantava temores de retração econômica e provocou queda nas bolsas em todo o mundo.

É evidente, porém, que a incursão policial em nada ajudava a EBX a atravessar o momento de nervosismo no mercado financeiro. A imprensa da época registra que, nos dez dias após a operação policial, as ações perderam 18% de seu valor. De junho para julho, a queda no total do valor em bolsa das empresas da EBX foi de quase R$ 27 bilhões e de julho a agosto, cerca de R$ 8,9 bilhões, segundo a consultoria Economática.

No fim de julho, Eike teria um ato de desagravo patrocinado pelo próprio governador do Rio de Janeiro, Sérgio Cabral, que promoveu uma cerimônia no Palácio Guanabara, sede do governo, para conceder a licença ambiental a uma planejada usina termelétrica da MPX no Rio de Janeiro. Eike, ao discursar, teve a voz embargada. E chorou, agradecido.

A reação do empresário foi relatada detalhadamente, em reportagem da revista *Veja*, como exemplo de sangue-frio e competência: Eike voltou das férias e determinou a suas empresas a publicação de uma coleção de fatos relevantes detalhando as respostas a acusações da Polícia Federal. Realizou teleconferências com investidores do exterior, lembrando ter contratado, como advogado, o ex-ministro da Justiça de Lula, Márcio Thomaz Bastos, que havia reorganizado a Polícia Federal. Acionou aliados no Congresso, de quem financiara campanhas eleitorais. Conseguiu até uma declaração do presidente Lula de que os policiais haviam cometido "abuso de autoridade".

Ao ser informado da decisão da Anglo American de suspender o pagamento até esclarecer as denúncias, mandou enviar à multinacional a íntegra do inquérito da Polícia Federal e viajou a Londres, de jato executivo, com Flávio Godinho. Teve uma conversa de dois dias com Cynthia Carroll, encerrada com garantias de lado a lado. Duas semanas após a operação da Polícia Federal, que havia cogitado levar Eike para a cadeia, estava assegurada a compra de uma fração da MMX pela mineradora estrangeira.

O processo da Polícia Federal contra Eike, acusado no inquérito de "mentor intelectual" e "mandante" da fraude da licitação da estrada de ferro, afundou no esquecimento. O Ministério da Justiça nunca deu satisfação sobre a operação, e mesmo sindicalistas da Polícia Federal contabilizaram o caso como uma trapalhada dos investigadores: o preso mais famoso foi o próprio diretor-executivo da Polícia Federal, Romero Menezes, o segundo na hierarquia da polícia em Brasília, que se descobriu ser irmão de um acusado de tráfico de influência no Amapá. Por via das dúvidas, Eike não abriu mão da intervenção poderosa do prestigiado ex-ministro Thomaz Bastos. Meses antes do incidente, a Polícia Federal, em outra operação bombástica, a Satiagraha, havia prendido outros milionários, Daniel Dantas e Naji Nahas, e o ex-prefeito de São Paulo Celso Pitta.

O incidente policial, até por sua brevidade, não foi nem de longe o maior desafio no negócio que marcou os primeiros anos da MMX. O minério do Sistema Minas-Rio seria extraído em Conceição do Mato Dentro, Minas Gerais, misturado à água da região e transportado por dutos, através de pouco mais de trinta municípios mineiros e fluminenses, até o Porto do Açu, em São João da Barra, no Norte do Rio de Janeiro. Nem a mina nem o mineroduto nem o porto existiam quando foi criada a MMX ou quando Carroll comprou essa parte da empresa, na expectativa de começar a exportar 26,5 milhões de toneladas a partir de 2010. Tampouco o porto e o mineroduto estariam prontos, seis anos depois.

O começo das operações do Sistema Minas-Rio foi sucessivamente adiado. Para 2011, 2012 e 2013. E, em junho desse último ano, anunciou-se que o sistema começaria a funcionar, de fato, em 2014. A Anglo American ainda esperava uma dúzia de licenças diversas, das quase trezentas que foi obrigada a requerer para fazer deslanchar o projeto comprado de Eike. Mesmo antes da venda, as dificuldades atazanaram o projeto Minas-Rio, apesar da boa vontade multipartidária dos governos em relação a Eike Batista. Não valeram nem as determinações do influente senador Aécio Neves, que, quando governador, autorizou a passagem do mineroduto por terras privadas até a divisa com o Rio de Janeiro.

A preocupação com o colapso dos rios em Minas Gerais, cuja água seria usada para transformar o minério em pasta, a fim de transportá-lo pelo mineroduto; a degradação do meio ambiente no porto de destino; questões fundiárias; todo tipo de obstáculo contribuiu para atrasar o projeto, que foi interrompido várias vezes, até por ameaçar tesouros arqueológicos e cavernas da região.

O prospecto de lançamento da MMX, de 2005, prevenia em letras pequenas sobre possíveis atrasos, no rodapé de uma tabela. Na mesma tabela, os potenciais acionistas foram informados de que a mina de Conceição do Mato Dentro começaria a produzir em abril de 2009, o Porto do Açu teria condições de embarcar o minério a partir de maio daquele ano, e o mineroduto estaria despejando sua papa de minério de ferro nas instalações portuárias de secagem em julho.

Mesmo mudando de donos, a antiga propriedade da MMX manteve a marca de grandiosidade carimbada por seu idealizador. A Minas-Rio tornou-se o maior projeto minerário da Anglo American no mundo, e sua maior dor de cabeça: sem produzir uma pelota, o projeto sofreu reavaliação em 2012. A Anglo American refez os cálculos e informou que o total dos investimentos necessários para

m foto de 2009, Eike posa ao lado do pai, o também mpresário Eliezer Batista, que o ajudou nos primei-os passos. Na ocasião, o diretor Victor Lopes (à di-eita) lançava um filme baseado na vida de Eliezer.

rédito: *Berg Silva / Agência O Globo.*

Em 31 de janeiro de 1991, Eike se casa com a modelo Luma de Oliveira.

Crédito: *Leonardo Aversa / Agência O Globo.*

Em famosa polêmica do Carnaval carioca, Luma de Oliveira desfila como rainha de bateria do GRES Mocidade Independente de Padre Miguel usando uma coleira com o nome de Eike.

Crédito: *André Arruda / O Globo* (24 de fevereiro de 1998, p. 1. Capa).

Acima: Empresário em casa, em março de 2002, com o uniforme para competição "offshore".

Crédito: *Marco Antônio Teixeira*

Acima à direita: Entre 2008 e 2012, Eike Batista ascendeu meteoricamente na lista dos homens mais ricos do mundo, alcançando a marca de mais rico da América do Sul e de 7º mais rico do planeta.

Crédito: © *Paulo Fridman / Corbis* (18 de fevereiro de 2011, Rio de Janeiro).

À direita: Em março de 2010, o empresário comemorou o ingresso da negociação das ações da OSX Brasil S.A.

Crédito: *Michel Filho / Agência O Globo.*

NOVO
MERCADO

Vista panorâmica do Complexo Industrial do Superporto de Açu, em São João da Barra, que, apesar da crise financeira do grupo EBX, ainda figura como um dos seus principais investimentos.

Crédito: *Fabio Rossi / Agência O Globo.*

Acima: Eike Batista, ao lado do governador do Rio de Janeiro, Sérgio Cabral, durante a entrega da Licença Prévia para a instalação de uma usina termelétrica a carvão no Porto de Açu, no Norte do estado, concedida por Cabral em cerimônia realizada no Palácio da Guanabara, em Laranjeiras, RJ.

Crédito: *Hipólito Pereira / Agência O Globo.*

À esquerda: Vista aérea da obra parada no antigo Hotel Glória, no Rio de Janeiro.

Crédito: *Genilson Araújo / Parceiro / Agência O Globo* (8 de janeiro de 2014).

Eike durante uma cerimônia no Superporto do Açu. As suas investidas nas petrolíferas aparecem, na foto abaixo, associadas a uma marca do governo Lula — o traje laranja com a mão de petróleo.

Crédito: *Ricardo Moraes / REUTERS / Reuters / Latinstock.*

Em dezembro de 2007, Eike Batista comemora ao lado de Sérgio Cabral a inauguração do iate "Spirit of Brazil VII", operado pela Pink Fleet. O barco "padrão cinco estrelas", com custos mensais estimados em R$ 300 mil, foi colocado à venda como ativo da OGX. Porém, sem interessados, foi enviado ao estaleiro Cassinú, em São Gonçalo, RJ, para futuro desmanche.

Crédito: *Marcos Ramos / O Globo* (20 de dezembro de 2007, Matutina, Segundo Caderno, página 3).

Em 1º de julho de 2010, Eike Batista participa do lançamento das obras do Superporto Sudeste da LLX, em Itaguaí, RJ, ao lado de Sérgio Cabral, de Otávio Lazcano (presidente da LLX), de Carlo Bossatto Jr. (prefeito de Itaguaí), com camisa branca, e do filho Thor Batista.

Crédito: *Marcelo Carnaval / Agência O Globo.*

A presidente do Brasil, Dilma Rousseff, em encontro com Eike Batista, durante evento da OGX.

Crédito: © *Fabio Motta / dpa / Corbis* (26 de abril de 2012).

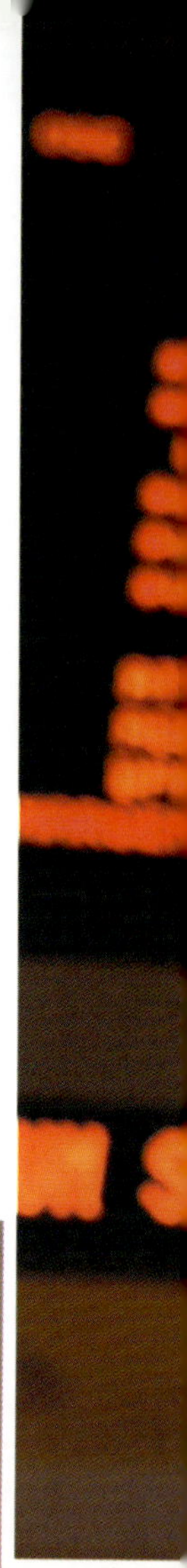

Eike Batista na lista da *Bloomberg*: no *Twitter*, ele disse estar "mais feliz de gerar riqueza, investimento e empregos no Brasil".

Crédito: *Michel Filho / O Globo* (6 de março de 2012, Matutina, ECO, página 21).

Em outubro de 2009, Eike Batista recebe o prêmio Personalidade do Ano da câmara britânica. Após o prêmio, ganha o carinho da mulher, Flávia Sampaio.

Crédito: *Marcelo Carnaval / Agência O Globo.*

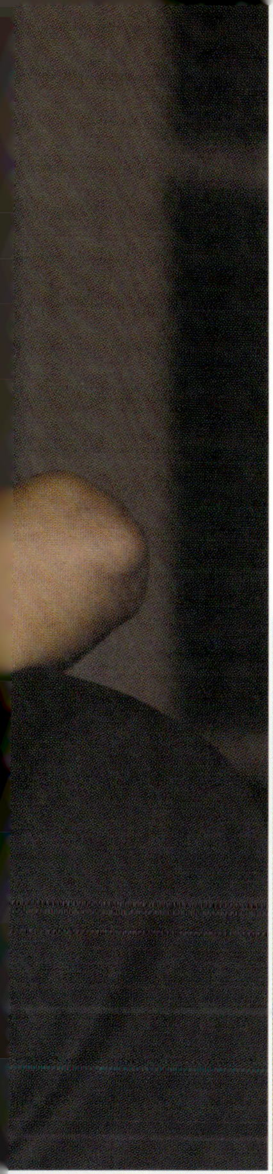

Eike Batista com o astro de Hollywood, Tom Cruise, na estreia do filme *Operação Valquíria* (2009), no Cine Odeon.

Crédito: *Marcos Ramos / Agência O Globo.*

Em 2012, em mais uma das suas apostas, o empresário cria uma parceria com o Cirque du Soleil.

Crédito: *Latinstock / © Wilton Junior / dpa / Corbis / Corbis (DC).*

tornar a mina produtiva subiria dos iniciais US$ 5 bilhões para US$ 8,8 bilhões.

A reavaliação forçou a direção da multinacional a reconhecer que o valor da própria Anglo American, que incluía os ativos da Minas-Rio, era menor do que o registrado oficialmente. A direção da empresa foi obrigada a cortar US$ 4 bilhões de sua contabilidade. Mas, "apesar dos desafios", a empresa informou que tinha data para o primeiro embarque de minério de ferro: lá pelo fim de 2014.

Em novembro de 2013, foram vendidos a mina do Amapá e seu porto a outra mineradora com interesses no Brasil, a Zamin Ferrous, por US$ 134 milhões e mais uma percentagem das futuras vendas de minério. Essa percentagem, até o máximo de US$ 130 milhões, seria usada "para pagar dívidas", informou a Anglo American. O negócio comprado de Eike pela empresa ainda lhe deu prejuízo meses antes de concluir as negociações com a Zamin Ferrous: a Anglo American teve de baixar o preço para arcar com os custos de um deslizamento desastroso que arrasou equipamentos do porto de Santana, parte do Sistema Amapá, e matou seis pessoas.

Desde o início, o trato com a EBX desgastou a imagem de Cynthia Carroll, que, no ano de compra do Minas-Rio, cortou o valor dos dividendos pagos aos sócios da empresa para bancar os custos de sua aliança com Eike Batista. Em 2009, com o estouro da bolha das commodities após a crise financeira mundial, ela simplesmente vetou a distribuição de dividendos aos acionistas. Especialistas do setor até hoje se dizem intrigados com o alto valor pago por ela pela companhia pré-operacional. Para os admiradores de Carroll, ela foi arrojada, e o volume de críticas a suas estratégias empresariais seriam reflexo do machismo do mundo de negócios anglo-saxão. Cynthia, apesar disso, ainda seguiu carreira por quase seis anos na empresa.

Mas o negócio com o grupo EBX e outras decisões infelizes na África do Sul e no Chile levaram os acionistas a pedir a saída da executiva, em outubro de 2012. As ações da Anglo American subiram 4% com o anúncio da demissão. Em sua gestão, o valor de bolsa da Anglo American caiu 25%, enquanto a rival Rio Tinto crescia 25% e a BHP, 40%. Na avaliação do Deutsche Bank, só a compra da Minas-Rio teria destruído mais de US$ 5 bilhões do valor da companhia.

Depois de demitida, Carroll permaneceu alguns meses no posto, à espera da posse do sucessor. Foi tempo suficiente para que, em 29 de janeiro de 2013, ainda fosse ela a comentar, em nome da empresa, os resultados da reavaliação do Sistema Minas-Rio e seus custos. "Estamos claramente desapontados com o fato de que os desafios enfrentados pelo nosso projeto Minas-Rio contribuíram para um aumento significativo nas despesas de capital", lamentou.

A empresa, disse ela, ainda acreditava no enorme potencial da mina brasileira, que as sondagens mostravam ter pelo menos quatro vezes mais minério que imaginado. "Minas-Rio é um projeto de minério de ferro de classe mundial, de rara magnitude e qualidade e representa um dos maiores recursos subutilizados no mundo", insistiu.

A esperança da Anglo de ter um projeto competitivo de extração nas minas de Conceição do Mato Dentro estava baseada na estratégia de Eike Batista, de uso do mineroduto, capaz de reduzir o custo do transporte de ferro dos US$ 25 por tonelada gastos por ferrovia para US$ 1,50. Ao contabilizar, em 2013, uma perda de US$ 4 bilhões no valor da Anglo American, Cynthia Carroll revelava aos acionistas que ainda faltava à empresa construir 50% do mineroduto que a MMX dizia ter data de inauguração em 2009. Admitia também que 25% do trecho que ligaria as minas ao porto ainda nem estavam preparados para começar a instalação de dutos.

Em 2013, a Receita Federal do Brasil teria algo a dizer sobre a transação que uniu os destinos de Eike Batista e Cynthia Carroll. E disse, em uma autuação contra a MMX, acusando a empresa de ter sonegado imposto de renda e contribuição sobre o lucro líquido em 2007. Com a acusação, aplicou multa de R$ 3,7 bilhões. Era a penalidade mais alta em uma série de multas aplicadas pela Receita a grandes empresas negociadas em bolsa, no total de R$ 6,4 bilhões.

"A MMX e os assessores jurídicos independentes da companhia consideram totalmente improcedentes as autuações recebidas", disse, em comunicado aos investidores, o então presidente da MMX, Guilherme Escalhão. A empresa anunciou que iria recorrer da multa, em um processo que deveria se arrastar pelo menos até o ano seguinte, e negou a necessidade de fazer provisões em dinheiro como prevenção, caso perdesse o recurso. A Receita mostrava desconfiar do modelo encontrado por Eike e por Carroll para fazer a venda de ações da MMX à Anglo American, e acusava a empresa do grupo EBX de ter obtido ganhos de capital na operação sem pagar o imposto devido. Essa seria mais uma dor de cabeça para Eike, no ano em que viu seu império "à prova de idiotas" despedaçar-se, vendido em retalhos para garantir o pagamento de dívidas bilionárias.

Antes do colapso, porém, Cynthia Carroll não foi o único investidor de classe mundial a apoiar Eike Batista em sua mais recente façanha mineral. Com o que restou da MMX após a venda à Anglo American, Eike comprou outros projetos de mineração em Minas Gerais e os agregou em um só, o Serra Azul, ao qual somou as instalações em Corumbá e uma mina no Chile. Depois de desligar-se da empresa britânica e sul-africana de Carroll, o visionário da EBX arrastaria chineses e coreanos para suas jazidas minerais.

11. MMX A VER NAVIOS

"Um sinal inequívoco da qualidade do negócio e do produto. Noutras palavras, a monetização de um sonho."

Com essas duas frases, Eike Batista, o principal dirigente do grupo EBX, descrevia, em 2010, numa de suas incontáveis entrevistas, dois bons negócios fechados nos meses anteriores. Em 2009, a siderúrgica chinesa Wuhan fechou com a MMX de Eike a compra de 21,5% da empresa, em troca de um acordo de fornecimento de minério. Em dezembro daquele ano, anunciaria um acordo para construir com a EBX uma siderúrgica, no Porto do Açu, no Norte do Rio de Janeiro.

No ano seguinte, a sul-coreana SK Networks, uma entre várias grandes empresas da Coreia do Sul engajadas numa caça a recursos naturais pelo mundo, pagava mais para ter uma parcela menor que os chineses: US$ 700 milhões em troca de 14% da companhia — o maior investimento da história feito por uma empresa do país em minério de ferro. Os novos sócios traziam, ao chegar à MMX, contratos de compra preferencial do minério a ser produzido. Os coreanos pagaram mais porque, naquele setembro de 2010, Eike decidiu tirar de sua LLX Logística o Porto Sudeste, que construía em Itaguaí, no Rio de Janeiro, e colocá-lo nas mãos da MMX, sua empresa de minério.

"Conseguimos agradar aos chineses e coreanos, e nossos acionistas poderão participar do valor criado na transação", argumentou Eike, em teleconferência para acionistas. "É uma situação em que todos ganham."

Mais um êxito do empreendedor bilionário, que era saudado como o oitavo homem mais rico do mundo, segundo a classificação da revista *Forbes*. Ele recomendava um bom retrovisor ao mexicano Carlos Slim, da América Móvil, porque iria logo ultrapassá-lo como primeiro do ranking dos homens mais ricos do planeta.

Novamente, o dirigente da EBX buscava um negócio que, de partida, tivesse clientes garantidos, o que ajudava a atrair mais sócios e financiadores. Na prática, firmava contratos de fornecimento de um produto que ainda não tinha, contando com uma logística ainda inexistente. Apesar disso, o plano de negócios para desenvolver os projetos parecia consistente aos investidores. Eike exibia memorandos de entendimento com clientes ou sócios potenciais de grande peso, como era o caso da chinesa Wuhan Steel (ou Wisco, de Wuhan Iron and Steel Company). Na outra ponta, estavam, em geral, companhias buscando oportunidades de expansão no exterior, impressionadas com o crescente papel do Brasil na economia e com sua riqueza em recursos naturais, como tinha sido o caso da Anglo American de Cynthia Carroll, anos antes. No caso dos chineses, a possibilidade de produzir para o mercado interno era um atrativo adicional.

Os contratos de venda com a Wuhan e a SK previam fornecimento bem superior à produção das minas compradas pela MMX. Previa ainda que, para reduzir custos, no futuro as exportações usariam o Porto Sudeste, ainda em construção.

Nos anos seguintes, Eike se veria obrigado a pagar por seu excesso de confiança, comprando minério alheio e usando o porto dos outros para cumprir obrigações assumidas com os chineses e coreanos. Mas o acordo com os asiáticos, embora tenha sido mal-recebido pelos acionistas da LLX Logística, cumpriu o papel importante de recuperar a credibilidade na empresa de minério, abalada por seus maus resultados e pela queda nas cotações do minério de ferro, que a crise mundial arrastou para o poço.

Em setembro de 2008, o governo americano, administrando a crise financeira agravada naquele ano, havia deixado falir o banco Lehman Brothers, desencadeando pânico nos mercados bancários e atropelando os mercados de produtos básicos, que caem quando há expectativa de desaceleração econômica. No fim de 2009, a cotação da tonelada de ferro já tinha afundado abaixo da linha dos US$ 100 e chegaria a US$ 65. O valor em bolsa da MMX, que em julho e agosto de 2008 beirava os US$ 5 bilhões, caiu abaixo de US$ 900 milhões no fim daquele ano e começou uma ligeira recuperação em 2009.

Após a crise do grupo EBX, ficou claro até para o próprio empresário que um dos pecados de Eike Batista foi buscar no dinheiro nervoso e de curto prazo das bolsas de valores o apoio para projetos pré-operacionais, de longo prazo, sujeitos a encrencas no caminho. Foi encorajado e sustentado pelo clima de euforia da época, de forte otimismo com o potencial de países emergentes como o Brasil e de cobiça com as perspectivas de alta rentabilidade nos negócios baseados em recursos naturais. Eike subiu enquanto havia festejos com o país e foi empurrado para baixo quando o entusiasmo em relação ao Brasil e à economia despencou e investidores e financiadores ficaram mais seletivos.

Motivado por otimismo extravagante ou pela lembrança de que é possível sobreviver a negócios malsucedidos, o condutor da EBX parecia se basear em sua primeira experiência empresarial, no Canadá, onde viu, pela primeira vez, a facilidade para levantar negócios do chão com a alavanca das bolsas de valores. Quando conseguia sócios em negociações privadas sem abrir a companhia no mercado de ações, essa parceria funcionava apenas para preparar a venda nas bolsas.

Não à toa, depois da MMX, os investidores que se associaram a Eike no lançamento das companhias X eram bancos, firmas privadas de investimento ou fundos de pensão especialistas em entrar e sair de negócios para gerar lucros a seus associados ou clientes, sem compromisso com o futuro do empreendimento em longo prazo. Comprar ações no lançamento e vendê-las ao ver que seus preços já garantiam um rendimento adequado era a norma para esse tipo de sócio.

Na MMX, por um momento Eike ensaiou um movimento semelhante, de criação e descarte da empresa — cogitou fazer dinheiro e deixar o negócio, para que outros o levassem à frente. Essa filosofia envenenaria o modelo de gestão e busca de resultados do empresário e seus homens de confiança no grupo. A EBX logo ficou conhecida entre os especialistas do mercado como uma empresa onde o importante era valorizar as ações, para vender com lucro a participação acionária, ou parte dela, a quem fosse do ramo, ou se interessasse. A história da MMX mostra isso, ainda que Eike tenha falhado em suas tentativas de se livrar da companhia.

Em 2008, dias antes de vender o Sistema Minas-Rio à Anglo American e meses antes de a crise mundial explodir, Eike comprou, para a MMX, empresas com outras lavras já existentes no chamado quadrilátero ferrífero de Minas Gerais, pelas quais pagou cerca de R$ 340 milhões. Eram minas consideradas de baixa qualidade, com parte de seu potencial já esgotado, mas ele garantia ser capaz de tirar até 29 milhões de toneladas de minério de lá. Nunca chegou a tirar mais de oito milhões. Suas preocupações com a logística o levaram a criar uma mineradora cujo maior patrimônio não eram as áreas de exploração, mas o porto por onde escoaria o minério.

Após o negócio com Cynthia Carroll, os acionistas da MMX haviam ficado com uma parcela de 51% da LLX Logística, empresa que reunia os portos em construção do Açu e do Sudeste, no Rio de Janeiro, e Peruíbe, em São Paulo. O projeto do porto de Peruíbe foi abandonado após problemas de toda ordem, a começar por conflitos com índios habitantes do local. Com a transação de 2008, a LLX Logística passou a ter, basicamente, o Porto do Açu.

Curiosamente, o dono da EBX, que já começava a insinuar que talvez vendesse o resto da MMX, envolvia-se, ao mesmo tempo, em negócios novos. Lembrando, quem sabe, seus tempos de lucros com bons parceiros na exploração do ouro nos anos 1980, cogitou associar-se à Rio Tinto, sua antiga sócia em mineração. Ela lhe daria fôlego para investimentos de mineração e siderurgia no seu Sistema Corumbá, na área de fronteira (com a Bolívia), onde empresas estrangeiras não podem atuar como sócias controladoras de empreendimentos.

Na Bolívia, porém, Eike, que estava aliado a empresários da oposição ao recém-eleito Evo Morales, em 2006, foi expulso do país após levantar a ira do governo e de ambientalistas, por seus planos e construir altos fornos de aço usando carvão de madeira do Pantanal. Teve frustrado também o projeto de abastecer com gás boliviano sua termelétrica mato-grossense. Anos depois, Eike diria que um de seus erros teria sido subestimar circunstâncias políticas que impediram seus negócios naquele país, na Rússia e na Grécia e lhe deram prejuízos.

Em 2007, a família EBX ganhou seu novo pimpolho, a petrolífera OGX, que logo se tornaria a favorita do empresário, três meses após a primeira venda de parte da MMX à Anglo American. Em março de 2008, a EBX transferiu seu principal auxiliar e coordenador dos lançamentos das empresas em bolsa, Rodolfo Landim, da presidência da MMX para a da OGX. Circularam rumores de que Eike tentava vender as duas principais minas remanescentes da MMX, as antigas AVG e Minerminas.

Essas duas subsidiárias da mineradora, donas de vasto estoque de minério fino, guardado como resíduo a ser recuperado e vendido pela MMX, haviam produzido cerca de três milhões de toneladas de ferro em 2007 (menos de 1% do que produzia a Vale, líder do setor), mas, segundo a MMX, poderiam ter sua produção elevada para quase 8,5 milhões de toneladas. Em 2010, chegou a prever Eike, deveriam produzir 12 milhões de toneladas. No mundo real, em 2013, a produção não chegou a nove milhões.

Em julho, a EBX comprou os direitos de explorar outra jazida vizinha às duas que já tinha no quadrilátero mineiro, na região da Serra Azul. Mesmo enquanto negociava novas aquisições, o próprio Eike, porém, já alimentava especulações sobre possível venda das minas da EBX.

"Vendi parte da MMX para a Anglo para capitalizar o grupo", disse Eike, ao jornal *Valor Econômico*, em abril 2008. "O investidor quer que você invista o dinheiro que ele dá, que você crie riqueza, mas não se apaixona pelo ativo", argumentou. "O negócio é criar riqueza." Exatamente um ano depois, falando novamente ao *Valor*, à repórter Vera Durão, ele avisava, ao divulgar os — péssimos — resultados do balanço da MMX: "Vamos repetir o que fizemos nos ativos no (sistema) Minas-Rio e Amapá." Ou seja, estava disposto a vender o que restava da MMX a alguma Cynthia Carroll que aparecesse. Mas não surgiu nenhuma.

Não era só uma questão de se concentrar em outro ramo mais promissor, como o petrolífero. O barco dos minérios começava a fazer água. A MMX chegara a março de 2009 valendo pouco mais de R$ 1 bilhão, pela cotação de suas ações na bolsa, menos de um quinto do que valia em julho de 2008, após o negócio com a Anglo American envolvendo a Minas-Rio. O prejuízo da MMX de Eike, em 2008, alcançara quase R$ 850 milhões. Pouca receita e muito dinheiro saindo — para investimentos e poucas operações da companhia — sangravam os cofres da empresa em R$ 14 milhões mensais.

A demora em gerar receita somou-se a outro sério erro de administração, sustentado por excessivo otimismo em relação aos rumos da economia. A empresa também havia investido pesadamente em aplicações financeiras de risco, os chamados derivativos, que perderam brutalmente valor com a valorização do dólar em 2008, de R$ 1,60 em agosto para R$ 2,40, aproximadamente, em outubro.

A MMX, que, em março daquele ano, deixara de ser dirigida por Rodolfo Landim, mostrava, meses depois, ter cometido o mesmo erro de outras exportadoras, como a Sadia e a Aracruz. Elas apostaram em aplicações que dariam lucro caso o real continuasse valorizado em relação ao dólar, ou prejuízo caso ocorresse a desvalorização que, naquele 2009, arranhou a economia brasileira. Sadia e Aracruz quebraram e foram absorvidas por concorrentes. A MMX sobreviveu, mas com sequelas, como mostrava o prejuízo no balanço da empresa.

Não se sabe se motivado pela falta de interessados na MMX, por ambição ou por algum impulso íntimo de explicação freudiana, Eike sonhou, ainda em 2009, dar um salto olímpico na área de mineração, e buscou entrar no clube dos sócios controladores da Vale, a gigante brasileira do setor. A mesma ex-estatal que o pai Eliezer Batista pusera de pé nos anos 1960 e consolidara como um dos principais atores mundiais no comércio de minérios. "Vou entrar na Vale", disse, na época, a mais de um interlocutor.

Era pública a irritação do presidente Luiz Inácio Lula da Silva com a administração independente da Vale, presidida pelo antigo executivo do banco Bradesco Roger Agnelli. Eike viu ali uma chance de dar um salto de suas minas de segunda linha para a linha de frente da mineração mundial.

O presidente da Vale comprou uma briga com o Palácio do Planalto quando, após a crise de 2008, anunciou a paralisação de investimentos e também demissões ou férias coletivas para milhares de funcionários, desmoralizando a declaração de Lula, para quem o "tsunami" no mercado financeiro chegaria como "uma marolinha" no Brasil. Quando Lula defendeu a industrialização do minério de ferro no país para que se exportasse o aço, de maior valor agregado, a Vale rejeitou a pressão para investir em siderúrgicas.

Era evidente que o governo federal desejava novo rumo para a empresa, que, embora privatizada, ainda tinha cerca de 60% de suas ações na mão ou do BNDES ou de fundos de pensão de estatais, cujos diretores são indicados por interferência direta do Palácio do

Planalto. Encorajado por consultas prévias a integrantes do governo, entre eles o próprio Lula, Eike aproveitou-se do desgaste para negociar a compra de uma parcela das ações da companhia.

Não houve sinal verde oficial para que os fundos de pensão de estatais ou BNDES vendessem suas ações a Eike, e ele fez uma oferta de compra ao Bradesco, um dos principais acionistas, com poder sobre a Bradespar, dona de cerca de 9% do capital votante da Vale. A negociação foi revelada em setembro de 2009 pela repórter Samantha Lima, da *Folha de S.Paulo*, a primeira a contar que, duas semanas antes, o próprio Eike teria viajado a Osasco, em São Paulo, para entregar sua proposta pessoalmente ao presidente do Bradesco, Lázaro Brandão. Para o Bradesco, o negócio representaria mais dinheiro em caixa para aplicar na disputa pelo mercado bancário nacional, com fortes concorrentes, como o Itaú.

Naquele ano, Agnelli entregaria aos acionistas um lucro de mais de R$ 30 bilhões, 190% acima do que a empresa lucrara no ano anterior, fruto de uma receita recorde de R$ 85,3 bilhões. A recuperação dos preços do minério de ferro, consumidos com apetite de adolescente pela China, ajudou um bocado. E, menos de uma semana depois da revelação sobre os esforços de compra da Vale por Eike, a mesma jornalista noticiava a recusa do Bradesco em vender sua parte na empresa. Como saldo da operação ficou o desgaste na relação entre Eike e o amigo e sócio que havia intermediado os contatos preliminares com o Bradesco, André Esteves, do Banco Pactual, a quem o dono da EBX atribuiu o vazamento das negociações.

Frustrado em suas ambições com a Vale, em 2010, Eike repetiria ao jornal *O Globo* que "a venda para a Anglo foi mais para capitalizar o grupo", mas mostraria menos interesse em descartar pedaços da EBX, especialmente aqueles considerados de alto valor. Eike, então, dizia não ter vendido com gosto o Sistema Minas-Rio: "Não gosto de vender ativos que são filé-mignon."

Quando vendeu parte da LLX para a MMX, muitos analistas criticaram o movimento como uma troca de ativos dentro do mesmo grupo, o que poderia deixar de fora e prejudicar acionistas minoritários de alguma das empresas afetadas pelas mudanças. Entre os críticos de Eike, há quem veja em suas declarações uma confissão de que agiu contra os interesses dos acionistas da MMX, ao vender a melhor parcela da empresa denominada por ele próprio o "filé-mignon", para explicitamente injetar dinheiro em outras companhias da sua coleção X, com acionistas diferentes. Se correta a acusação, ele teria cometido um crime financeiro.

Mas, como aconteceria com frequência na história do grupo EBX, os fiscais do mercado acionário, a própria bolsa de valores de São Paulo e a Comissão de Valores Mobiliários, ligada ao Ministério da Fazenda, não viram nada de errado nas heterodoxias de Eike. Os acionistas minoritários da MMX, aparentemente, também não, e embolsaram sem queixas públicas os ganhos do negócio com a Cynthia Carroll.

Em 2010, criticava-se o "emagrecimento" da MMX, após perder o naco levado pela mineradora estrangeira; Eike discordava. Só os ativos da LLX que ficaram para os acionistas equivaliam aos US$ 5,5 bilhões pagos por ela, garantiu ele, em entrevista, meses antes de lançar a petroleira OGX no mercado. A verdade é que a MMX, em junho de 2008, tinha um valor, pela cotação da bolsa, de pouco mais de R$ 15 bilhões e, em julho daquele ano, já sem o pedaço vendido à Anglo American, havia caído para R$ 5,3 bilhões; a LLX Logística, nascida naquele mês, valia mais R$ 1,8 bilhão, se somadas todas as ações por seu valor negociado no mercado. A EBX tinha, então, uma mineradora de um lado e portos de outro. Por pouco tempo.

Os portos da LLX, sim, eram uma paixão de Eike Batista. Ele sabia que eles correspondiam a um patrimônio cobiçado por potenciais compradores, apesar de todas as encrencas ambientais, imobiliárias e sociais que enfrentavam para obter licenças de construção e funcionamento. Nos anos do auge do Império X, cada um deles não seria muito mais que um longo píer esticando-se no oceano e enormes canteiros de obras em terra. Mas Eike sabia que o valor potencial dessas obras de infraestrutura não era apenas um argumento a mais em sua retórica de vendedor.

Meses após se ver obrigado a jurar para a imprensa que sua MMX não havia passado por um regime de emagrecimento forçado, Eike realizaria a negociação de venda de parte da empresa para a coreana SK Networks, aumentando o capital (o volume de ações) da mineradora, comprando uma parte e oferecendo ações ao novo sócio asiático. O negócio, além de levar a multinacional a entrar como sócia, com 14% das ações e um contrato de compra de minério equivalente a 17% do consumo de toda a Coreia do Sul, incluiu a aquisição, pela MMX, do Porto Sudeste.

Na época, não houve estranhamento com a recusa da chinesa Wuhan a acompanhar Eike e a SK no aumento de capital. A empresa preferiu ver sua participação na companhia encolher, dos 21,5% originais para pouco mais de 16%. O porquê desse fastio oriental é tema para o próximo capítulo. Mas quem estivesse atento notaria que a primeira sócia asiática da MMX já ouvia as hipérboles de Eike com alguma desconfiança, ao contrário de grande parte dos interlocutores do empresário, enfeitiçados por sua retórica, desinteressados em investigar a falta de apetite da companhia chinesa. Melhor para o garoto-propaganda da EBX.

"A Wisco é nossa autoestrada para a China e a SK é nossa autoestrada para a Coreia", disse Eike a jornalistas, ao anunciar transação. "Essa nossa quase Vale aqui está ficando em pé."

A negociação envolveu uma das complexas operações de troca de ações que caracterizam os negócios do grupo X, para que sua mineradora, afinal, ganhasse um porto para chamar de seu. A engenharia financeira deu aos acionistas da LLX Logística um papel que lhes garantia receber uma comissão pela venda futura de minério da MMX. Entre esses acionistas, o maior deles, com quase 70% da LLX, era o próprio Eike, somando participações diretas e as ações em poder de seu fundo no exterior, o Centennial.

Com a incorporação da LLX Porto Sudeste pela MMX, Eike só voltou a pensar na venda da empresa quando seu Império X começou a se desfazer, em 2012, no auge da crise do grupo EBX. A insistência do empresário em só fazer uma venda casada, porto e minas, foi, por muito tempo, um dos maiores problemas enfrentado pela EBX nos esforços para vender seus ativos de mineração. Além do *combo* logístico, o empresário pedia um preço alto pelas instalações portuárias que ainda não conseguira acabar de construir.

Nos planos herdados pela Anglo de Cynthia Carroll, o minério da Minas-Rio seria transportado pelo mineroduto até o Porto do Açu, ou, segundo o rótulo hiperbólico do empreendedor, a "Roterdã dos trópicos", que merece um capítulo mais adiante. O Porto Sudeste era o canal de exportação das minas de Eike na Serra Azul, as do quadrilátero ferrífero. Para chegar ao litoral, haveria uma combinação de meios de transporte na qual a ferrovia seria o principal elo entre a produção e o embarque portuário.

"Sem o porto, não tem sistema de mineração; o minerador fica preso ao dono da logística", disse Eike ao jornal *Valor*, em 2009, repetindo o lema favorito. Mas, na falta de trem próprio, teve de apelar a donos de logística alheia para ligar suas minas ao porto. Firmou contrato com a ferrovia da concorrente invejada, a Vale, para transportar seu minério por dez anos, a começar em 2017, comprometendo-se a pagar (R$ 26,46 por tonelada, havendo ou não minério, pelo equivalente ao transporte de 36 milhões de toneladas por ano.

Em outubro de 2010, Eike aparecia sem gravata, com sua combinação habitual de calça jeans, terno escuro e camisa de malha preta. Subia ao palco da Faculdade de Economia e Administração da Universidade de São Paulo para abrir um seminário para jovens investidores. Apresentado como um visionário "acima do que seres humanos normais realizam", brincou com a plateia, descontraído, usando o desenho animado interativo de seu iPad para cumprimentar a todos; riu da própria piada e avisou que iria exibir um vídeo "bem completo".

"O minério de ferro da MMX é transportado para os superportos da LLX, de onde é exportado para todo mundo ou consumido pelas siderúrgicas localizadas em suas retroáreas", dizia o locutor. A descrição trazia ao presente do indicativo o que era apenas indicação de futuro mais que imperfeito, que não se realizaria exatamente como planejado por Eike. As tais siderúrgicas, por exemplo, só existiram em versão eletrônica, no vídeo.

Nesse mesmo mês de 2010, as ações da MMX alcançariam o auge depois do desmembramento para a Anglo American, e seu valor total alcançou quase R$ 6,5 bilhões, segundo cálculos da consultoria Economática. Nos meses seguintes, os acionistas veriam seus investimentos ter altos e baixos até despencar em uma queda de montanha-russa a partir de abril de 2012. Era pública a crise do grupo EBX, e Eike começou a buscar compradores para sua mineradora equipada com porto e contratos de fornecimento.

Em dezembro de 2012, em meio a especulações de que a MMX estava sem financiamento e dinheiro para investir na produção, o empresário anunciou novo esforço para aumentar o capital da empresa, buscando mais sócios. A MMX ofereceu ao mercado R$ 1,36 bilhão em ações, e Eike anunciou, "em uma demonstração de confiança no futuro da MMX", o compromisso de comprar as que não encontrassem interessados. Pôde comemorar, no ano seguinte, o êxito da operação, com a venda de R$ 1,2 bilhão em papéis da empresa, a serem usados para ampliar a capacidade de suas minas em Serra Azul.

Sinal dos tempos: cada ação, que em 2010 a coreana SK Networks comprara por R$ 13,96, sairia por R$ 3,92 para os novos sócios, com base nas cotações anteriores na bolsa. Havia um consenso no mercado de que o Porto Sudeste era ainda um dos patrimônios mais promissores da EBX, desde que a empresa conseguisse evitar calote em suas dívidas e tivesse tempo e dinheiro para concluí-lo antes de soçobrar.

Os chineses e, dessa vez, também os coreanos preferiram assistir de fora ao esforço para turbinar a empresa: a SK, com 14% das ações, e a Wuhan, a essa altura com 16% em vez do 22,5% iniciais, preferiram não comprar nada e ficar com um pedaço menor da MMX. Antes celebrados como avalistas do empreendedorismo X, os asiáticos agora eram acionistas em processo de afastamento.

Ao receber o balanço da empresa, os analistas fizeram as contas: com prejuízos mensais, menos de R$ 500 milhões em caixa no começo do ano e dívidas equivalentes a mais de duas vezes e meia essa quantia a vencer no ano, a empresa, mesmo após o esforço de Eike, ameaçava afundar. A EBX precisava de uma boia salva-vidas para sua mineradora.

Não havia alternativa. A MMX e seu porto formavam um dos pedaços da EBX a serem expostos no balcão de venda, na tentativa de salvar o grupo. Criou-se uma disputa: de um lado, entre mineradoras brasileiras interessadas em garantir um porto de embarque, reduzindo a dependência de concorrentes, como a Vale e a Companhia Siderúrgica Nacional, donas de portos próprios. De outro lado, Eike conversava com grandes companhias de comercialização, as chamadas *tradings*, que funcionam em todo o mundo como intermediárias, comprando dos fornecedores de recursos naturais e mercadorias e vendendo aos clientes de outros países.

"Uma empresa de mineração é, essencialmente, uma empresa de logística", havia defendido Eike ao incluir a LLX Porto Sudeste no negócio que trouxe a SK Networks para dentro da MMX. As mineradoras, potenciais usuárias do Porto Sudeste, temiam que, com porto próprio, uma grande *trading*, ao controlar a porta de saída para o exterior, ganhasse força para impor preços, mordendo parte importante dos lucros das exportações de minério de ferro.

A MMX, que já tinha contrato a um preço alto com a ferrovia que transporta a produção de suas minas de Serra Azul, também não gostaria de abrir mão de seu porto. Eike insistia em vender minas e instalações portuárias em um só pacote, enquanto buscava financiadores para ampliar seu campo de atuação no quadrilátero ferrífero de Minas Gerais.

Para o porto Sudeste, conseguiu, no começo de 2013, ampliar o financiamento do BNDES, que liberou R$ 935 milhões. Segundo cálculo da agência Reuters, o banco oficial financiou 75% dos R$ 2,4 bilhões investidos pela EBX em suas instalações portuárias. Não se falava mais, como antes, no exemplo de Eike como empreendedor independente do Estado.

Em outubro de 2013, afinal, o controle do Porto Sudeste mudou de mãos e deixou o teto da EBX. Foi para a associação entre uma *trading*, a holandesa Trafigura Beheer, e o fundo de investimentos Mubadala, da capital dos Emirados Árabes Unidos, um dos maiores credores do grupo de Eike. A MMX manteve 35% do porto e o direito de escoar por ele parte de sua produção. Mas o controle seria estrangeiro, de uma empresa interessada em comprar barato no Brasil para vender no mercado internacional.

A MMX, que, em 2010, no auge do grupo EBX, era avaliada pelo mercado em quase R$ 6,5 bilhões, chegava a outubro de 2013 valendo menos de R$ 1 bilhão. Suas minas de Corumbá, com minério de melhor qualidade, eram menores do que se pensava. As minas do Chile foram vendidas com prejuízo e a dívida da empresa chegava a R$ 2,6 bilhões segundo seus dirigentes (em junho, o balanço apontava R$ 3,1 bilhões). Mas nem tudo era má notícia. O negócio com o Mubadala e a Trafigura, nomes que evocam histórias das *Mil e uma noites*, fez com que essa dívida e outros compromissos embutidos em bônus da MMX virassem fumaça. Mais exatamente, transferiu-a aos novos controladores do Porto Sudeste, aliviando o caixa da mineradora.

A primeira empresa X a ser negociada em bolsa era um destroço do que chegara a ser, sonhando voltar à tona, mas sem fôlego para isso, ainda. Para ficar com o controle do empreendimento portuário da EBX, Mubadala e Trafigura, além de levar as dívidas da MMX, compraram, da empresa, US$ 400 milhões em ações da subsidiária que controlava o Porto Sudeste. Os acionistas, que viram o porto sair de suas mãos por bem menos do que a MMX investiu nele, fizeram os preços das ações da mineradora cair 17% naquele dia.

O Porto Sudeste, programado para começar suas operações em 2012, teve a data adiada para o fim de 2013 e, finalmente (ou não), para meados de 2014. Os planos de ampliação das minas da MMX no quadrilátero ferrífero chegariam ao fim de 2013 suspensos, à espera de definições sobre o futuro da empresa. Quem, anos antes, havia apostado na MMX viu o sonho virar pesadelo e teria de aguardar muito tempo para saber se conseguiria a "monetização" prevista por Eike Batista. A não ser, claro, os que aproveitaram os momentos de euforia do mercado e abandonaram o barco antes que começasse a adernar.

12. A Roterdã adiada

O janelão panorâmico levava a baía de Guanabara quase para dentro da sala, onde, no começo daquela tarde de 2003, um grupo de executivos de terno, alguns sem gravata, acompanhava, com atenção, a apresentação em PowerPoint de um animado vendedor de ideias. A exposição era, de quando em quando, pontuada pelos ruídos dos garfos ao chocar com pratos em que desapareciam, aos poucos, as porções de bacalhau. O apresentador, homem robusto, de rosto largo, lábios finos, olhos claros e cabelos castanhos quase arruivados, explicava seu projeto de um superporto no litoral Norte do Rio de Janeiro.

Entre os assistentes estava Eike Batista, com interesse evidente pelas ideias exibidas na tela. Seus assessores, alternando a atenção entre o pescado e a palestra, com ânimo bem menos favorável, faziam perguntas e comentários críticos. Manejando o controle do computador, estava o então secretário de Energia, Indústria Naval e Petróleo do Rio de Janeiro, Wagner Victer, formado em engenharia e administração por universidades do Rio de Janeiro, pós-graduado em finanças pela Fundação Getulio Vargas e em gerência de projetos pela universidade de Harvard, e admirador de Eliezer Batista, com quem tinha trabalhado na criação do Polo Gás-Químico do Rio de Janeiro. Victer, eloquente, esforçava-se para convencer a cúpula da EBX a apostar numa ideia acalentada por ele havia pelo menos três anos.

O único entre os conselheiros de Eike que parecia ver o projeto com simpatia era Raphael de Almeida Magalhães, político de prestígio, ex-ministro no governo José Sarney, que também havia trabalhado com Eliezer Batista na formação do Polo Gás-

-Químico. Já era alguma coisa: atraído por Eliezer, Raphael era um dos executivos mais ouvidos pelo dono da EBX. "Mas", quis saber Eike Batista, "como levar minério até esse porto?" O secretário carioca tinha a resposta pronta: um duto de mais de quinhentos quilômetros atravessaria os estados de Minas Gerais e Rio de Janeiro. O transporte do minério de ferro por tubulações permitiria às mineradoras de Minas Gerais desdenhar da ferrovia de sua concorrente, a Vale, e reduziria espantosamente o risco e o custo do transporte.

Os outros executivos da EBX desconfiaram da viabilidade do projeto. "O maior desafio não é fazer funcionar o mineroduto, mas conseguir o direito de uso do solo em um monte de municípios", argumentou Victer, lembrando que a solução já era experimentada, em menor escala, pela mineradora Samarco, a cerca de trezentos quilômetros daquele local. "Gostei! Quando podemos ver a área?", reagiu o controlador do grupo X.

Daquela conversa, sairiam as obras do Porto do Açu, a "Roterdã dos trópicos" de Eike Batista, um dos projetos de maior fôlego do grupo EBX, com fã-clube instalado no Palácio do Planalto e na sede do BNDES. Semanas depois do almoço, Eike, interessado, mas ainda não totalmente convencido, foi levado por Victer de helicóptero à região onde caberiam as instalações portuárias, uma enorme extensão de praia aberta e vegetação de restinga. Logo, alguns milhões de reais sairiam do caixa da EBX para a compra de terrenos no local.

O projeto apresentado a Eike não se limitava à construção de um porto. O local, na avaliação da Secretaria de Estado, era um dos poucos locais no Rio de Janeiro onde caberia uma instalação portuária e atividades industriais sem risco de comprometer a qualidade da atmosfera, já que, no jargão de Victer, "a bacia aérea está livre". Em português corrente, a área aberta e os ventos locais garantiam a dispersão de emissões de gases na atmosfera, evitando concentração de poluentes no lugar.

Homem de confiança do governador Anthony Garotinho e de sua mulher, sucessora no governo do estado, Rosinha Garotinho, Wagner Victer chegou a avançar nas negociações com a Petrobras, durante o governo Fernando Henrique Cardoso, para criar o complexo portuário dedicado ao gás e ao petróleo, na região de São João da Barra, de frente para os locais de exploração de petróleo na bacia de Campos. Com seus colaboradores, o secretário conseguiu a aprovação de uma lei que autorizava o governo estadual a participar com até 33% nos investimentos do projeto. As leis de incentivo industrial do estado já garantiam redução de impostos e outros incentivos à instalação de indústrias no local.

Com levantamentos do relevo submarino mostrando uma forte queda do terreno pouco depois da costa, Victer havia animado o então presidente da estatal, Henri Philippe Reichstul, a estudar uma parceria entre a empresa e o governo do estado para um porto destinado não só a apoio para exploração em alto-mar como para receber grandes petroleiros para descarregamento direto em terra.

A Petrobras mudou de rumos. Preferiu concentrar-se em sua base de apoio na cidade próxima de Macaé. No governo Lula, considerações partidárias enterraram a ideia de construir lá uma refinaria da estatal. E Victer imaginou ver em Eike a personalidade ousada de que precisava para levar à frente seu projeto, adaptando-o. Em vez de plataforma de apoio em terra para a exploração de petróleo no mar, passaria a ser porto de embarque de minérios alternativo ao virtual monopólio de logística (estradas de ferro e portos) da Vale.

Em 2006, quase três anos após a primeira conversa sobre o tema na EBX, Eike, acompanhado da governadora Rosinha Garotinho e de Wagner Victer, presidia, no Açu, a cerimônia da pedra fundamental do futuro superporto. A "Roterdã dos trópicos" deveria começar o embarque de minério de Minas Gerais em 2009, com a agilidade que o empresário gostava de se vangloriar nos empreendimentos do grupo EBX. Eike não contava com as dificuldades no projeto Minas-

-Rio, que seria um dos maiores clientes do porto, ou com o fracasso em atrair investidores e empresas em número significativo ao local. Nem atentou para um fator subestimado no PowerPoint de Victer: a questão ambiental, fantasma que o assombrou desde o início e acorrenta até hoje os passos do superprojeto.

Com a mudança de governo naquele ano de 2006, o caminho de Eike para o porto foi barrado pelo novo secretário de Meio Ambiente, Carlos Minc, um dos mais conhecidos ambientalistas do país, de calva compensada pelos fartos cabelos esfiapados que lhe restaram, apreciador de coletes vistosos em lugar de ternos, como marca de seu desprezo às convenções.

"Julio, vamos fazer uma reunião, você, o Eike e o Minc, e você fica sendo o juiz dessa porra", telefonou o governador Sérgio Cabral a seu secretário de Desenvolvimento, Julio Bueno, numa tarde de 2007, após ouvir repetidas queixas do empresário contra o ambientalista. Minc já havia cortado pela metade as terras compradas por Eike, protegendo-as como reserva ambiental na delicada área de restinga, vegetação litorânea ameaçada no litoral brasileiro. E rejeitava os pedidos de licenciamento ambiental do empresário para o projeto.

Na reunião, a cada queixa de Eike, Minc lhe cobrava compromissos não cumpridos pela EBX. E, por mensagem, Julio Bueno informava ao governador o resultado da peleja. Faltava o prometido levantamento aerofotogramétrico. "Minc: 1 X 0", digitou Bueno. A documentação do terreno para definição do impacto ambiental. "Minc: 2 X 0." O levantamento biológico da região. "Minc: 3 X 0."

Eike tomou uma goleada de 8 X 0, calcula um integrante do governo Cabral que acompanhou a partida na época. Foi a primeira de uma série de dificuldades de licenciamento encontradas pelo superporto, que, em 2013, durante o desmonte do grupo X, ainda enfrentava na Justiça questionamentos do Ministério Público por seus impactos ambientais, disputas territoriais com as centenas de famílias desalojadas para a criação de um distrito industrial que não chegou a sair do papel e questões trabalhistas.

A desapropriação dos terrenos para o parque ambiental foi compensada pelo governador Sérgio Cabral, interessado em fazer deslanchar o Porto do Açu, por meio de um arranjo em que a Companhia de Desenvolvimento Industrial do Estado, Codin, desapropriaria os terrenos ocupados por pequenos agricultores e os repassaria à EBX pelo valor das indenizações. As boas relações entre Eike e a Codin levaram a estatal a privilegiar a EBX em Itaguaí, onde, apesar das demandas de outras empresas, foi a firma de Eike Batista a escolhida para receber autorização de um terceiro porto no local, o Porto Sudeste, além dos já existentes da Vale e da CSN.

Os problemas ambientais, trabalhistas e sociais nunca fizeram parte das apresentações do projeto feitas dali em diante por Eike, que tentou minimizar as críticas com programas de apoio aos agricultores e projetos ambientais (em 2013, chegou a ganhar um "selo verde", do Instituto Internacional de Pesquisa e Responsabilidade Socioambiental Chico Mendes por "boas práticas" em sua reserva privada no entorno do porto). O empresário assumiu a ideia do superporto com entusiasmo ainda maior que o demonstrado pelo idealizador, Wagner Victer. Nos primeiros anos, assinou dezenas de memorandos de entendimento com empresas diversas interessadas em se instalar na chamada retroárea portuária, um terreno "maior que a ilha de Manhattan".

Faria ali um distrito industrial, e anunciava os "emouiu" (do inglês M.O.U., Memorandum of Understanding) como se tivessem a solidez de uma instalação produtiva já levantada em sua Roterdã tropical. O número desses M.O.U. crescia no ritmo das ambições de riqueza de Eike Batista: de trinta memorandos, logo seriam sessenta, e, em 2012, um comunicado à agência Bloomberg falava em "cerca de setenta". Nas avaliações dos analistas de mercado de valores, e nas decisões de acionistas, os "emouiu" sinalizavam a consistência do projeto portuário da EBX.

Para evitar aglomerações urbanas no caminho das cargas, gargalo comum nos portos mais antigos do Brasil, Eike contratou o arquiteto Jaime Lerner, o mais conhecido urbanista vivo do Brasil, que projetou, para a vizinhança do complexo industrial, a "Cidade X", uma "Veneza brasileira" com canais formados a partir dos rios da região.

A "Veneza brasileira", como o restante do Porto do Açu, começaria como um colosso e atrofiaria, pouco a pouco, em contato com a realidade. Em 2009, Eike falava na "Cidade X", para onde previa cinquenta mil moradores. A estimativa preocupava especialistas como o engenheiro e professor Roberto Moraes, um dos maiores estudiosos dos efeitos do porto sobre a economia regional, que via ali, entre outros problemas trazidos pelo projeto de Eike, o perigo de formação de uma nova cidade, a pedir autonomia, no futuro, levando consigo parte dos royalties de petróleo recebidos por São João da Barra, onde estava o Açu.

Em 2012, a EBX já chamava o projeto, mais modestamente, de "Bairro X" e previa a construção de quarenta mil habitações populares e de luxo, com investimentos de US$ 40 bilhões e a contratação de até cinquenta mil trabalhadores para a construção do empreendimento, até 2015. Menos de um ano depois, em janeiro de 2013, executivos da REX, braço imobiliário do grupo, apresentavam à população de São João da Barra o projeto imobiliário do "bairro X", destinado a ocupar 200 mil m^2, dos 11 milhões adquiridos na região pela EBX, para construção de um hotel e 1,3 mil apartamentos de, no máximo, 65 m^2, ao custo de até R$ 160 mil, a ser financiado pela Caixa Econômica Federal.

Ajuste semelhante enfrentaria o distrito industrial sonhado por Eike Batista. Em poucos anos, para espanto dos investidores que o acompanharam nos primeiros esforços de obter sócios para o projeto, ele mudou o objetivo dos investimentos do Porto do Açu, que nasceu como saída portuária para o minério de ferro da MMX e outras mineradoras de Minas Gerais e passou a atender ao projeto original imaginado por Wagner Victer, de base para o setor de gás e petróleo.

Ao abrir o capital de sua LLX, controladora do porto, em julho de 2008, um mês após o sucesso espetacular de lançamento de sua petroleira OGX na bolsa de valores, Eike anunciava ter mais de trinta memorandos de entendimento assinados com grandes companhias estrangeiras, que sustentariam o empreendimento com o arrendamento das áreas de seu distrito industrial. A história da EBX, nos anos seguintes, foi uma sucessão de anúncios de desistência dos signatários desses memorandos. Enquanto a assinatura dos documentos era propagandeada em comunicações à bolsa — os chamados "fatos relevantes" —, desistências frequentemente eram mantidas sob sigilo.

A Nissan, que não chegou a se comprometer com os planos da EBX, foi assediada e propagandeada como uma provável inquilina do superporto do Açu, possível fabricante de um sonho persistente de Eike, um carro elétrico nacional. Em 2010, Eike e o presidente da Nissan e da Renault, Carlos Ghosn, almoçaram juntos em Paris, na sede da montadora francesa. Ghosn ouviu a explicação detalhada de Eike, interessou-se, confirmou que pensava instalar uma fábrica da Nissan no Rio de Janeiro e combinou uma visita ao local.

Contente, Eike saiu do encontro para outro almoço, com o jornalista Alan Riding, com quem combinava de escrever sua biografia para o público de língua inglesa. Com Riding, comeu porções generosas de *entrecôte* com batata frita como se não tivesse acabado de almoçar, bebeu Coca-Cola (que chama de "champanhe americana") e repetiu o prato. Estava confiante em relação ao novo negócio, que logo seria comentado na imprensa brasileira.

Em janeiro de 2011, Ghosn foi ao Rio de Janeiro, almoçou com Sérgio Cabral, conheceu o Açu e assustou-se com a falta de infraestrutura do local. Comunicou sua decepção ao governo estadual, que lhe ofereceu a alternativa de instalar sua fábrica em Resende, no Sul fluminense. Apesar da desistência de Ghosn, naquele mês, ainda apareceriam notas na imprensa com informações atribuídas a fontes da EBX sobre a provável instalação da fábrica de automóveis da Nissan no Porto do Açu.

No fim de 2011, quando oficializaria sua opção pelo município de Resende, às margens do rio Paraíba do Sul e cortado por ferrovias e importantes rodovias, Ghosn ainda esnobaria o superporto da EBX ao explicar à agência Bloomberg por que recusara a oferta de Eike: "Chegamos à conclusão de que não seria capaz de competir com a fábrica em Resende." Em outubro, Eike iria à cerimônia de assinatura do acordo da Nissan com o governo estadual. E diria que estava em negociação com um fabricante de caminhões. Quem quer que fosse o fabricante negociador, nunca foi ao Açu.

Já o acordo para a siderúrgica da Wuhan foi um dos mais celebrados do porto, uma festa para o presidente da EBX. A assinatura do memorando de entendimento se deu no Palácio do Planalto, aproveitando a visita, em abril de 2010, do próprio presidente chinês, Hu Jintao. A assinatura foi citada em discurso do presidente Luiz Inácio Lula da Silva como um dos exemplos da aproximação entre Brasil e China, "o maior investimento chinês no Brasil e o maior da China, nesse setor, no exterior", discursou Lula.

No amplo salão do Palácio, Eike foi abordado por jornalistas e defendeu o acordo com os chineses como forma de atender aos apelos do governo brasileiro para aumentar o valor das exportações enviadas ao mercado chinês. "Lula falou numa cooperação em que se agregue mais valor, que o país não fique como uma grande fazenda, ou uma grande mina", argumentou, fazendo previsões mirabolantes sobre o consumo de aço chinês. A Wuhan e a EBX investiriam US$ 5 bilhões para, já em 2013, produzir três milhões de toneladas de aço anuais, para as indústrias naval e automobilística, previu.

O que não se divulgou, na época, foi um relatório entregue à LLX pela Wuhan, apontando a decepção dos chineses ao constatar as dificuldades para usar, na futura siderúrgica, o minério de ferro que esperavam receber da MMX, do qual eram o segundo maior sócio, só abaixo de Eike. Enquanto esperava-se que o minério da Anglo American chegasse ao porto através de um mineroduto, o de Serra Azul prometido à sócia de Eike exigiria uma ferrovia de trezentos quilômetros e custo inviável, segundo constataram os chineses.

Para fazer seus estudos de viabilidade, eles haviam alugado um escritório na cidade do Rio de Janeiro, no número 110 da avenida Rio Branco, no mesmo prédio da Secretaria de Desenvolvimento do estado, que os abasteceu de dados e documentos. Eike, que levara à China vídeos legendados em ideogramas, anunciava que a siderúrgica chinesa no porto poderia usar carvão importado pela EBX da Colômbia e assim forneceria aço para seu futuro estaleiro.

Após o período de análise do projeto, no prédio da Secretaria de Desenvolvimento, os chineses deixaram uma mensagem reservada e, por muito tempo, sigilosa, que traduzia seu desagrado com o que viram: não haviam encontrado viabilidade para instalar nenhum projeto no porto, no estágio em que se encontravam a obra e os seus acessos. Voltariam a falar do assunto quando houvesse alguma estrutura logística concreta a apresentar. "Avisem-nos quando tiverem alguma coisa" era a mensagem, segundo resumo de um dos envolvidos na discussão.

A EBX seguiu por muito tempo contabilizando a siderúrgica chinesa como parte do seu projeto integrado, segundo os vídeos apresentados a investidores e acionistas da LLX. Outra siderúrgica, a Ternium, argentina com sede em Luxemburgo, chegou a anunciar que aproveitaria as instalações excepcionais do Açu para lá fabricar aço destinado ao estaleiro e a outras indústrias. O que não se dizia, e antigos executivos de subsidiárias da EBX admitem hoje em conversas reservadas, é que nunca houve intenção da Wuhan ou da Ternium de fabricar produtos para estaleiro, ou montadora de automóveis, criando a tal "sinergia" anunciada nos vídeos de promoção da EBX.

As siderúrgicas que ambas as empresas cogitaram instalar no Açu eram para fabricação de placas, produto semielaborado que não tem uso para consumidores de laminados como os fabricantes de navios ou automóveis.

A demora em construir vias de acesso e saída do porto, de qualquer maneira, enterrou os planos das siderúrgicas ainda na fase de "emouiu". A Ternium informou à LLX que tinha pressa em fazer uma siderúrgica para produzir placas, passo inicial para produção de outros tipos de aço, na época encontradas a preços exorbitantes no mercado. Em 2010, pagou um percentual do investimento para garantir o terreno, mas, um ano depois, comprava uma participação na brasileira Usiminas, capaz de atender às suas necessidades. Só em 2013, porém, oficializou sua desistência de produzir no porto de Eike.

Os chineses da Wuhan levaram menos tempo para abdicar abertamente dos planos da EBX. Em julho de 2011, um jornal chinês publicava notícia de que a direção da Wuhan desistira do projeto da siderúrgica, após estudos de viabilidade, devido aos excessivos custos do projeto: dificuldades de acesso, transporte e fornecimento de carvão.

O excesso de produção siderúrgica no mundo levava os produtores brasileiros de aço a reduzirem em 5% suas previsões de produção naquele ano. A divulgação da notícia sobre a desistência chinesa abalou as negociações de ações da LLX, e, dias depois, a Wuhan e a EBX divulgavam nota negando a informação do jornal. Em novembro, porém, a LLX Logística admitia que as conversas com os chineses estavam "inativas", sem reuniões havia meses.

No dia 11 daquele mês, o presidente da Wuhan falaria à agência Reuters às margens do Congresso do Partido Comunista chinês, sepultando o projeto: "Ferrovias, terminais portuários, não construíram nada; o mercado também não está lá, então agora interrompemos as conversas e não estamos pensando sobre isso."

Desistências semelhantes abateram, um a um, boa parte dos "cerca de setenta" "emouiu" da EBX. As dificuldades do estaleiro de Eike, a ser montado por sua OSX, como "âncora" das atividades de óleo e gás no Açu levaram à redução de contratos e cancelamento de fábricas. Os custos do porto subiram acima das previsões, como aconteceu em outros projetos da EBX, com problemas dos pilares que exigiram reforço e demandas por dragagem.

Em 2013, cinco anos após a instalação da pedra fundamental do porto, cinco empresas instalavam-se lá, de olho na prestação futura de serviços a companhias de petróleo. No enorme descampado do tamanho de Manhattan em que se transformou a "Roterdã dos trópicos", além da OSX, o estaleiro de Eike em processo de recuperação judicial, duas fabricantes de tubos de aço, uma de motores e outra dedicada a serviços para navios-plataforma cumpriram suas promessas de instalação.

A localização, a 150 quilômetros das plataformas de petróleo em alto-mar na bacia de Campos, provou ser, como defendia Wagner Victer, o principal atrativo e patrimônio do porto. No desmonte do grupo EBX, Eike chegou a sonhar em manter o projeto em suas mãos, com a bênção do governo federal, de Dilma Rousseff e seu antecessor, Luiz Inácio Lula da Silva, a quem chegou a levar, de avião, no primeiro semestre de 2013, para ver as obras, no esforço de engajá-lo no lobby pela ajuda oficial — e, quem sabe, no apoio da Petrobras através de investimentos salvadores no local.

13. Agrados e o poder

A audiência havia sido confirmada na última hora. Na Base Aérea de Brasília, os responsáveis pelo avião presidencial foram avisados de que deveriam remarcar a saída do voo da presidente Dilma Rousseff para Caracas, onde ela participaria, naquele 7 de março de 2013, dos funerais do presidente Hugo Chávez, da Venezuela. Era uma deferência da presidente; Eike Batista dizia ter uma informação importante a comunicar. Ministros e assessores já a aguardavam na base aérea quando ela o recebeu, das 10h10 às 10h25.

O empresário, animado, trazia à Dilma a novidade que só depois comunicaria ao mercado: na véspera, a EBX havia firmado acordo com o banco BTG Pactual, do financista André Esteves, que ajudaria as empresas X a se reorganizarem e garantiria uma linha de financiamento de até R$ 1 bilhão para afastar os temores de colapso do grupo. Dilma, bem-humorada, elogiou os esforços do empresário e desejou boa sorte. A situação do grupo EBX iria melhorar, garantiu o empresário. Desde que a Petrobras ajudasse. A presidente disse que ele poderia falar com a presidente da empresa, Maria das Graças Foster. Acusada por grandes empresários de ser arredia e pouco amistosa com o setor privado, a presidente manteve, por muito tempo excelentes relações com o comandante do grupo X.

Antes daquele encontro, Dilma e Eike tiveram outro, do qual o empresário saiu eufórico, em dezembro de 2012. Eliezer Batista acompanhou a audiência, que durou das 15h30 às 17h10. Eike se queixava dos sócios estrangeiros, que, na avaliação dele, haviam voltado atrás em compromissos com seu grupo. Dizia ter uma empresa sólida, ameaçada por uma crise de credibilidade e dificuldades de curto prazo. Argumentava que o Porto do Açu poderia ser uma base importante para as operações da Petrobras e que a estatal, ao instalar ali serviços para suas plataformas de exploração, poderia funcionar como âncora do porto, atraindo mais investimentos.

Ao pedir a ajuda da Petrobras, o empresário reconhecia implicitamente que, por falta de encomendas e financiamento, encalhara o estaleiro da OSX programado para impulsionar o porto. Dilma disse ver com interesse os investimentos em infraestrutura do empresário e comentou que não havia por que existir concorrência entre a OGX, a combalida petroleira de Eike, e a Petrobras. Ele fez, dias depois, uma reunião entusiasmada com todos os diretores, em sua "távola do sol nascente" na ampla sala de reuniões da sede da EBX, e, na descrição de um dos presentes, só não abriu champanhe por falta da bebida.

"Ela disse que a Petrobras vai olhar com bons olhos os projetos no Açu", relatou o dono da EBX a seus executivos. "Ela vê a OGX como a futura Petrobras do setor privado", continuou, contente. Em janeiro, o próprio Lula visitava o superporto do Açu. A ambiciosa estrutura ainda não tinha — e por muito tempo não teria — nenhuma ligação ferroviária com o resto do país, ou um píer para atracação de navios petroleiros. O grande píer em "L" que se via na fotografia por cima da sala de reuniões de Eike, no Rio de Janeiro, e em todo material publicitário da LLX era montado para o embarque de containers e minério.

Em novembro, a Petrobras já havia vendido à OGX, por R$ 270 milhões, a parcela da estatal em um bloco de exploração na bacia de Santos, o que foi visto por especialistas do mercado como uma ajuda do governo à empresa, pois tratava-se de uma área com fortes probabilidades de garantir a desejada extração de óleo à petroleira da EBX, carente de produção. Após a conversa de março com Dilma, Eike falou com a presidente da Petrobras, que chegou a enviar altos funcionários da empresa para avaliar as possibilidades de aproveitamento do Porto de Açu.

Em fevereiro de 2013, a atuação do governo em ajuda a Eike quase provoca uma crise política: os políticos do Espírito Santo descobriram uma interferência governamental para convencer o estaleiro Jurong, tradicional fornecedor de plataformas de petróleo à Petrobras, a mudar para o Porto do Açu os investimentos programados para a construção de um estaleiro no Brasil. O Jurong já vinha investindo US$ 500 milhões em um estaleiro, mas no litoral capixaba.

O embaixador brasileiro em Cingapura, Luís Fernando Serra, foi acusado no Congresso de intermediar as pressões do advogado Amaury Pires, diretor de Relações Institucionais (cargo que, em Brasília, designa lobistas) da EBX, sobre a Sembcorp Marine, a empresa de Cingapura controladora do Jurong. O diplomata reconheceu, em entrevista à revista *Época*, em março daquele ano, ter marcado um encontro dos executivos da empresa, em Brasília, com o ministro de Desenvolvimento, Fernando Pimentel. Disse à revista que o propósito do encontro era discutir a alternativa do Porto do Açu, mas argumentou ter servido apenas de intermediário por ordem superior, um pedido, por telefone e ofício, do próprio Pimentel, um dos ministros mais próximos de Dilma.

Em nota, dois ministérios, de Desenvolvimento e de Relações Exteriores, negaram a tentativa de privilegiar o Rio de Janeiro em prejuízo ao Espírito Santo. Pimentel, até hoje, garante não ter falado de Açu com os senhores Tan Cheng Guanb e Tan Cheng Tat, respectivamente vice-presidente-executivo e diretor financeiro da Sembcorp, com quem se reuniu em Brasília para discutir os interesses da empresa no Brasil. O Jurong, pouco interessado em perder os investimentos já feitos no país, permaneceu no Espírito Santo.

Amaury Pires, o intermediário das pressões da EBX, havia sido diretor do Fundo de Marinha Mercante e afastado do governo com a demissão da cúpula do Ministério dos Transportes, após denúncias de irregularidades, em 2011, no que ficou conhecido como "faxina" da presidente Dilma Rousseff. Ligado ao PR, um dos partidos aliados do governo no Congresso, manteve, porém, trânsito fácil no governo, mesmo depois de *faxinado*, a ponto de, no Rio de Janeiro, em uma discussão com um executivo do BNDES que fazia objeções a um empréstimo ao grupo EBX, interromper o interlocutor com a ameaça: "Brasília não vai gostar de saber disso."

Meses antes de ser demitido e passar à EBX, Amaury fez parte da reunião do Conselho Diretor do fundo que aprovou, em junho de 2011, R$ 2,7 bilhões em empréstimos para a OSX, para o projeto de estaleiro de Eike Batista, contratados com o BNDES e a Caixa. Em outubro daquele ano, já diretor da EBX, Amaury Pires pôde comemorar ao lado de Eike a liberação de mais R$ 1,5 bilhão do FMM, que se tornou um dos principais credores do grupo EBX. Desse total, porém, a OSX só receberia R$ 627 milhões até 2013. O fundo fez sua parte, mas os bancos criaram dificuldades para liberar o dinheiro, queixou-se a direção da OSX nesse período.

Em 9 de abril, durante teleconferência sobre o plano de negócios da estatal, a presidente da Petrobras confirmou que estava em discussões com Eike para avaliar possíveis oportunidades. No dia seguinte, assediada por jornalistas em um evento na Federação das Indústrias de São Paulo (Fiesp), disse que o Rio de Janeiro poderia ser uma boa opção para um fornecedor de serviços na conversão do gás liquefeito desembarcado pela Petrobras para abastecer termelétricas. Buscar uma saída para a crise da EBX naquele ano? Não, ela não buscava, garantia a própria Graça Foster. "Não há nenhuma discussão para viabilizar o Porto do Açu nos escritórios da Petrobras", disse. "O grupo X é um dos grupos que estamos avaliando; é um negócio, não se trata de ajudar."

Nomeada por escolha de Dilma, que apreciava suas providências de ajuste nos projetos e equilíbrio nas contas da empresa, a dirigente da Petrobras, de rosto austero e longos cabelos negros, já havia dado uma mãozinha ao empresário, ao vender a ele parte de um dos blocos da estatal; mas não seria mais uma executiva poderosa a garantir ajuda providencial na história empresarial de Eike. "Não há previsão nem colocação de nenhum dólar em investimento no Açu", garantiu aos integrantes da Comissão de Assuntos Econômicos do Senado, no dia 14 de maio.

Se houvesse serviços portuários ou de uso de terminais "a preços competitivos", a estatal negociaria a possibilidade de terceirizar atividades ao grupo EBX, como faria com outros fornecedores, informou. Segundo um antigo executivo do grupo EBX com influência sobre o porto, a declaração de Graça Foster resumia com precisão o tom das conversas mantidas, naqueles dias, entre dirigentes do grupo X e emissários da estatal. E foram motivo de frustração para Eike Batista.

Eike era um dos poucos empresários a ter acesso frequente, por telefone, com Dilma. E teve uma relação privilegiada com Lula, a quem, em janeiro de 2013, chegou a buscar em São Paulo para um almoço no restaurante do hotel Sofitel, no Rio de Janeiro, onde tentava, sem sucesso, convencer dirigentes do grupo russo Lukoil a investir em seu porto e sua OGX. Lula falou aos russos. Descreveu as maravilhas e expectativas do Brasil após a exploração do petróleo nas camadas do pré-sal. Os executivos ouviram atentos. E deram um drible no assédio da EBX.

Dilma gostava do projeto do Porto do Açu. Via nele um exemplo de investimento ousado em infraestrutura, que os grandes grupos privados nacionais jamais se arriscariam a fazer. O BNDES, que chegou a emprestar R$ 10,4 bilhões às diversas empresas do grupo EBX, comprou participação acionária em duas, a empresa de energia MPX e, em 2009, com R$ 150 milhões, a LLX, controladora dos investimentos portuários do grupo.

Nesta última, o objetivo da compra foi reforçar o caixa da companhia e garantir a execução dos terminais portuários, segundo justificou o banco. Da Caixa Econômica Federal, a "Roterdã" da EBX obteve empréstimo de quase R$ 520 milhões, antes da crise no grupo.

Eike soubera conquistar a simpatia do governo federal e oferecer apoio em uma época em que ainda tinha prestígio, e, mais que bem-vindas, declarações favoráveis vindas de alguém importante do setor privado eram uma necessidade política.

A presidente ficou particularmente grata a ele em agosto de 2012, quando o empresário, no Palácio do Planalto, foi o mais empolgado em relação ao pacote de regras para concessões públicas anunciado pelo governo. "Esse megapacote aí é um espetáculo para o Brasil", elogiou. Eike tinha motivos particulares para isso: contava que as concessões para ferrovias previstas no pacote garantissem apoio oficial para a ligação entre seu Porto do Açu e a rede ferroviária nacional.

Menos de dois meses antes, Dilma chegara da reunião do G20, o grupo das economias mais influentes do planeta, no luxuoso balneário de Los Cabos, no México. Soubera ali, em conversas reservadas com outros presidentes, que ainda estava longe a recuperação da economia mundial. Percebeu que seu plano de superar o baixo crescimento e injetar ânimo na economia brasileira, baseado em pesados investimentos em infraestrutura, encontraria um ambiente de incerteza. Um cenário no qual, por outro lado, os governos dos Estados Unidos e da Europa continuariam despejando bilhões de dólares na economia, para fugir à recessão.

Havia nervosismo no governo ao lançar o ambicioso programa de concessões públicas para rodovias e ferrovias. A aparição de Eike no saguão cheio de jornalistas do Palácio do Planalto, como um alegre Macunaíma sem preguiça, foi a melhor propaganda que Dilma poderia ter.

Um empresário ainda com aura de bem-sucedido e arrojado, pronto para garantir que a iniciativa do governo era um "kit felicidade" para a iniciativa privada. "O Brasil está com sorte, esse governo tem sorte no *timing*, tem excesso de recurso no mundo", torcia, animado, o dono do grupo X. "Felizes de nós, brasileiros, que temos uma presidenta que tem essa visão de engenheira", exagerava ele, mencionando a capacidade de Dilma de entender as planilhas de custo das empresas.

Eclético, ao ser homenageado três meses antes pela Federação das Indústrias de Minas Gerais com o título de "Industrial do Ano", Eike chegou ao evento ao lado do senador Aécio Neves, "um dos grandes quadros que o Brasil tem", na definição do empresário, ouvido pelo jornalista Marcos Moura e Silva, do *Valor Econômico*. "Minha função aqui, como brasileiro, é apoiar brasileiros que tenham competência para ocupar o cargo de presidente", explicou, pouco antes de discursar elogiando o "oráculo" Aécio, um dos principais nomes da oposição a Dilma.

Aécio disse ser amigo do "empreendedor", com quem inaugurara, três anos antes, um dos presentes de Eike à comunidade, o Museu das Minas e do Metal, em Belo Horizonte, com salas interativas sobre a história da mineração no país, ao custo de R$ 25 milhões em investimentos e R$ 1,8 milhão ao ano de manutenção para os cofres da EBX. Em outubro de 2013, com dificuldades de caixa, a empresa cancelaria o mimo e doaria o museu, suas deslumbrantes apresentações interativas e suas despesas ao governo de Minas Gerais. Para Eike, o apoio do governador foi essencial para obter as licenças de sua MMX no estado e, especialmente, a autorização para passar pelas cidades mineiras com o mineroduto que ligaria o Sistema Minas-Rio, vendido à Anglo American, ao Porto do Açu.

Francamente apoiado pelo governo federal, Eike se sentiria obrigado a dizer, em palestra a estudantes da USP, que não devia o seu sucesso em petróleo — na época — ao fato de ser "ligado ao PT", como "muita gente" dizia. Em matéria de financiamento a campanhas, mostrava uma preferência clara pelo governismo. Mas não só.

Doou pouco mais de R$ 6 milhões só nas eleições de 2010, mas fazia o que o setor financeiro chama de hedge, seguro, dividindo apostas: R$ 1 milhão à campanha da presidência de Lula, outro R$ 1 milhão ao adversário José Serra e R$ 500 mil à candidata dos ecologistas, Marina Silva. Na eleição anterior, em 2006, havia feito o mesmo com os dois principais candidatos.

Ao governador Sérgio Cabral, doou R$ 750 mil, mas deixou R$ 200 mil ao PR, do rival Anthony Garotinho, sem deixar de doar também R$ 300 mil ao comitê financeiro do PT de Santa Catarina, onde pretendia construir um porto, barrado por ambientalistas. O então governador em campanha ao Senado, Luiz Henrique da Silveira, do PMDB, também de Santa Catarina, levou mais R$ 200 mil. O PMDB do Maranhão, controlado pela família Sarney, teve R$ 500 mil. Doou R$ 300 mil ao esquerdista PC do B e R$ 100 mil ao liberal DEM. Ao PT de Mato Grosso do Sul, dirigido pelo amigo Delcídio Amaral, doou R$ 500 mil, além de mais R$ 500 mil diretamente à campanha do senador.

Sua benemerência estendeu-se ao cinema, onde ajudou a financiar uma cinebiografia sobre Lula, *Lula, o filho do Brasil*, de Luiz Carlos Barreto, que levou R$ 1 milhão. Sempre eclético, deu dinheiro também ao cineasta Arnaldo Jabor, de quem foi produtor associado no filme *A suprema felicidade*. Eike ajudou a financiar, ainda, a reunião de curtas-metragens *5x favela, agora por nós mesmos*, celebrada novidade do cinema nacional coordenada pelo cineasta Cacá Diegues.

No Rio de Janeiro, Eike aderiu com seu peso econômico à gestão do governador Sérgio Cabral, a quem chegou a emprestar suas aeronaves para viagens particulares. Ofereceu R$ 80 milhões, em parcelas anuais de R$ 20 milhões até 2014, último ano de mandato do governador, para financiar a instalação de Unidades de Polícia Pacificadora, um dos principais projetos de Cabral para garantir policiamento e repressão ao tráfico nas favelas do Rio de Janeiro.

Foi ainda um dos principais sustentadores financeiros da campanha do Rio de Janeiro como cidade-sede dos Jogos Olímpicos de 2016, com uma doação de R$ 23 milhões, e ainda prometeu investimentos de seu grupo imobiliário para reformar dois hotéis — nos quais gastou quase R$ 120 milhões só para aquisição —, criar um centro de convenções e um parque aquático.

Chegou ainda a oferecer R$ 30 milhões para despoluir a lagoa Rodrigo de Freitas, cartão-postal do Rio de Janeiro que receberá provas de natação durante as Olimpíadas e em volta da qual o empresário costumava correr, acompanhado de quatro seguranças. Só a crise do grupo EBX o faria abandonar o papel de benemérito do Rio de Janeiro, interrompendo as duas últimas contribuições previstas à UPP, paralisando as obras dos hotéis e limitando os gastos para limpar a lagoa.

O cultivo de boas relações com o Palácio do Planalto incluiu a participação, em agosto de 2010, do leilão em benefício das crianças de uma favela paulista, promovido pelo cabeleireiro da primeira-dama, Marisa Letícia, que o convidou por telefone. Eike, num lance que ficou famoso, arrematou por R$ 500 mil o terno que Lula havia vestido em sua primeira posse na Presidência, em 2003, levou ainda outras peças do leilão, nas quais gastou pelo menos R$ 250 mil, e prometeu acrescentar, do próprio bolso, o equivalente ao resultado final do evento, R$ 2 milhões.

Conhecedor, desde jovem, das regras do jogo de influências na política, Eike queixava-se de dissabores em suas relações com governos no exterior; mas, no Brasil, contou com a colaboração multipartidária de autoridades nos estados e municípios onde atuou. Não ficou isento de multas, emitidas por agências reguladoras ou ambientais, nem de constrangimentos, como a entrevista coletiva em que, ao lado do então ministro do Meio Ambiente, Carlos Minc, anunciou a doação de R$ 11,4 milhões para apoio a parques nacionais, entre eles o de Fernando de Noronha, onde revelou gostar de fazer passeios marítimos.

O magnata celebrava a ajuda aos parques quando foi questionado pela jornalista Marta Salomon, da *Folha de S.Paulo*, que lhe perguntou por que não pagava cinco multas de R$ 29,4 milhões, bem superiores à doação, aplicadas à sua empresa pelo Ibama, por uso indevido de carvão vegetal em alto-fornos da MMX, no Pantanal. O empresário apagou o sorriso do rosto e minimizou a multa: "Se cometemos um erro ambiental em nossas operações, vamos pagar a conta", prometeu, dizendo que pensava fechar as operações dos alto-fornos no Mato Grosso do Sul. Também constrangido, Minc avisou: "Uma doação como essa não resolve pendências, não resolve multas, não facilita licenciamento."

Disputas ambientais não foram raridade na EBX. Contra argumentos de ambientalistas, Eike conseguiu licenciar a maioria de seus megaprojetos; chegou a ganhar prêmios e comendas de instituições ligadas ao meio ambiente e mantinha, na EBX, um "conselho ambiental", com pessoas de renome. A reação de ecologistas inviabilizou, porém, os planos iniciais de instalar seu estaleiro em Santa Catarina, e uma licença para instalação da usina a carvão da MPX no Porto do Açu foi concedida, mas, no auge da crise do grupo EBX, foi cassada pelo governo do Rio de Janeiro.

As relações políticas de Eike também foram inúteis para enfrentar a oposição local ao projeto de construir o Porto Brasil, no litoral paulista, um dos ambiciosos portos de escoamento de minérios da LLX, que previa investimentos de até US$ 5 bilhões e uma ilha artificial de 500 mil m^2.

O porto, na cidade de Peruíbe, foi suspenso a pedido do Ministério Público por afetar área de preservação ambiental e uma comunidade indígena. Parte da comunidade aceitou sair do local. Para os procuradores, a EBX havia tentado subornar os índios. Mas, no fim do ano, dirigentes da empresa de Eike anunciavam a suspensão do projeto, devido à exploração do tema nas campanhas eleitorais.

Em outubro, alegando “princípios de disciplina financeira”, a LLX comunicava à Comissão de Valores Mobiliários que suspenderia o projeto, até então sem “aportes relevantes de recursos”, para se concentrar nos outros portos do grupo, Açu e Sudeste, ambos no Rio de Janeiro. “Aportes” irrelevantes de dinheiro haviam financiado a compra de terrenos, a intensa movimentação de executivos no lobby pelo porto e um “showroom” do projeto, cuja construção foi interrompida quando era pouco mais que paredes e vidro, sem telhado ou pintura. Os terrenos foram depois postos à venda.

A mão aberta de Eike virou lenda no país, embora os mais céticos a chamassem de “filantropia de resultados”. Ao deixar de praticar suas corridas na orla da lagoa, nos períodos de negociações mais pesadas para a salvação do grupo X, o empresário teria decepcionado vendedores ambulantes a quem costumava dar gorjetas de até R$ 100, segundo lamúrias dos beneficiados publicadas na imprensa.

Suas doações costumavam ultrapassar os valores sugeridos pelos conselheiros próximos. Algumas ações de benemerência, é verdade, estavam claramente ligadas a interesses comerciais, como a não cumprida promessa de revitalização do Hotel Glória e do prédio Hilton Santos, no bairro do Flamengo, que fizeram parte dos investimentos de seu grupo imobiliário REX.

Generosidade ou marketing? Eike, amante das “sinergias”, unia as duas coisas. Havia também o gosto do espetáculo, de distribuir seus milhões em público assim como exibia sua Mercedes na sala de estar.

Seus exageros surpreendiam — e preocupavam — também os mais próximos. Ex-colaboradores lembram a tensão entre seus executivos quando, em visita ao Brasil, buscando financiamento para um projeto social, a cantora Madonna reuniu-se com Eike. Temiam pela liberalidade do dono da EBX.

Madonna dispensara o namorado, o modelo brasileiro Jesus Luz, com quem iria, dias depois, a Angra dos Reis, no helicóptero de Eike. Seria um encontro de negócios, explicou. Buscava US$ 10 milhões dos empresários brasileiros para o projeto de sua ONG visando melhorar a educação de crianças carentes no Rio de Janeiro.

Na noite de chuva torrencial de 12 de novembro de 2009, a *superstar* jantou com outros convidados, entre eles o governador Sérgio Cabral e o prefeito Eduardo Paes, acompanhados das esposas, na casa de Eike, toda decorada em duvidoso cor-de-rosa para a ocasião. O empresário assistiu a vídeos do projeto e o abençoou, prometendo doar os US$ 7 milhões que faltavam. (Sete meses depois, ele anunciaria, pelo *Twitter*, ter firmado o acordo de doação: foram R$ 12 milhões à ONG de Madonna, quase US$ 6,4 milhões, pela cotação do dia.)

Agradecida, longe de Jesus, mas ao lado de Eike, naquela noite Madonna chorou.

14. A explosão da petroleira (na bolsa)

Em frente à tela do computador com o movimento de ações na bolsa, de calculadora na mão, Aurélio Valporto conversava por telefone com o irmão, Fred. Ambos acionistas minoritários da petroleira do grupo EBX, a OGX, que, naquele junho de 2013, enfrentava maus momentos na Bovespa.

"A ação tá barata. E tem aquele bloco da bacia de Santos, o BM-S-57, o que eles disseram ter reserva de dois bilhões de barris! Deixa ver aqui na internet. Ih, Fred, eles devolveram o campo. Nem falaram, nem fizeram fato relevante, coisa nenhuma, na surdina. Devolveram o campo! Em março!"

Valporto acabava de descobrir que suas convicções a respeito da petrolífera do grupo EBX estavam erradas e um enorme patrimônio em reservas de petróleo que ele acreditava existir era uma ficção. Ao contrário do que pensava ele, os especuladores que haviam apostado na queda dos preços das ações da OGX não estavam condenados a quebrar a cara. O acionista chegara a crer que esses investidores, impressionados com notícias negativas sobre a petroleira do grupo EBX, não tinham se dado conta da enormidade do tesouro prestes a ser bombeado para fora do subsolo marinho pela empresa de Eike Batista.

"Aquele bloco da bacia de Santos" era uma área de exploração que, segundo comunicado da OGX ao mercado (um "fato relevante", no jargão financeiro), havia mostrado grande possibilidade de ter boas reservas de óleo. Naquela bacia, a empresa mantinha a expectativa de retirar das entranhas do subsolo marinho o equivalente a 1,8 bilhão de barris do combustível. Dias após essa comunicação, a revista *Veja*, de maior circulação no país, publicava uma nota prevendo a existência de dois bilhões de barris, em reservas, apenas naquele bloco. A notícia entusiasmou investidores da OGX.

A devolução daquela área de exploração, por inexistir tecnologia capaz de torná-la viável economicamente, era um revés importante: mostrava que a campanha de prospecção de petróleo da EBX havia produzido apenas mais um anúncio furado. A empresa, ao contrário do que imaginava o acionista minoritário, não poderia usar aquele patrimônio para fazer caixa e superar crises como a que enfrentou a partir de seu quarto ano de vida. Para Valporto, seria um caso a ser comunicado aos acionistas, por meio de um novo "fato relevante", o que não aconteceu.

A devolução foi comunicada discretamente no extenso relatório de atividades da OGX no quarto trimestre de 2012. No dia da devolução do bloco, o que saiu como "fato relevante" foi a notícia de que importantes áreas de exploração da OGX tinham viabilidade comercial.

O ano de 2013, em que os irmãos Valporto notaram, desalentados, que estavam furadas algumas de suas expectativas mais otimistas sobre a OGX, foi o período mais frustrante para os pequenos acionistas da petroleira; o ano em que os sócios minoritários no petróleo de Eike caíram das nuvens. Ironia infame: Eike voava de avião para a Europa quando, sete anos antes, o óleo lhe subira definitivamente à cabeça.

Companheiro de voo, o executivo Rodolfo Landim, ex-dirigente de prestígio da Petrobras, havia garantido ao dono da EBX que a exploração de petróleo teria probabilidades de sucesso muito superiores às do minério. A história, conhecida de todos os executivos da EBX, é contada, com variações de menor importância, no relato feito ao jornalista Luiz Maklouf de Carvalho, da revista *Piauí*, em 2011.

"A gente precisa fazer a petroleira; você é o cara!", repetia um entusiasmado Eike Batista a Landim, com quem viajou a Londres, no começo de dezembro de 2006, ano de entrada do antigo executivo da Petrobras na empresa. Na viagem de ida, Landim mostrou ao empresário que a relação de erros e acertos da Petrobras na prospecção de petróleo chegara a 50% na bacia de Campos – um achado em cada duas perfurações.

Na volta ao Brasil, ainda na primeira semana de setembro, Landim prometeu que pensaria na proposta de montar uma petroleira para o grupo X assim que terminasse uma quarentena, autoimposta após sair da Petrobras. Eike, eufórico, incentivou o colaborador com um bilhete escrito em papel avulso, prometendo a Landim 1% de todo o Império EBX, "como cavaleiro da 'távola do sol eterno', fiel guerreiro e escudeiro, um grande amigo!". Apertaram as mãos, emocionados. Não cogitavam que o mesmo bilhete os faria brigar na Justiça, três anos depois. O executivo, conhecedor do temperamento ciclotímico do patrão-sócio, preveniu-se. Landim guardou cuidadosamente o papel assinado e os tickets da passagem.

Eike Batista ainda estava às voltas com as alegrias de sua MMX, presidida por Landim. Mas, apaixonado por informações técnicas e financeiras, nunca esqueceria a informação ouvida enquanto sobrevoava o Atlântico: o índice de acerto na prospecção de petróleo no Brasil seria quase três vezes maior que a média mundial e absurdamente superior à encontrada na prospecção de minério. Infinitamente superior à proporção de descobertas na busca do ouro, de 17 mil para um, compararia o dono da "távola do sol eterno", anos mais tarde, em número incontável de oportunidades. Para quem começara a ganhar dinheiro com ouro, o petróleo seria uma aventura afortunada.

"O melhor negócio do mundo é uma empresa de petróleo bem-administrada; o segundo melhor negócio do mundo é uma empresa de petróleo mal-administrada", escreveu o criador do Império X em sua autobiografia. Citava um dito famoso do bilionário fundador da Standard Oil, John Rockfeller. Sabendo-se hoje o que houve com o império de Eike, é de se recomendar que todo dicionário de citações com essa frase traga, anexado, um verbete com a história da OGX, como advertência contra a falsa sabedoria das belas frases de gente famosa.

Mas, em julho de 2007, o dito de Rockfeller faria sentido. Era criada a OGX, sob a presidência de um ex-presidente da Petrobras, Francisco Gros, também ex-presidente do BNDES e do Banco Central, um afável economista de gestos elegantes e carreira ligada ao mercado financeiro, que havia pilotado a estatal em uma época de boatos sobre sua possível privatização. A principal contratação de Eike, porém, foi a do gerente-executivo de Exploração e Produção da estatal, Paulo Mendonça, que, quando sondado por Rodolfo Landim, era responsável pelo planejamento da Petrobras para os leilões das áreas de exploração prestes a ser lançados pela Agência Nacional de Petróleo, órgão regulador do setor.

Geólogo havia 34 anos na Petrobras, português de nascimento e até hoje com forte sotaque, Mendonça acompanhara as pesquisas que resultaram na descoberta das gigantescas bacias de petróleo leve abaixo da camada de sal, sob o solo oceânico. Conhecia a estratégia prevista pela estatal para atuar nos leilões de exploração daqueles blocos pela ANP, como relataram altos funcionários à jornalista Consuelo Dieguez, na revista *Piauí*, em 2008.

O ex-diretor da Petrobras, "Mr. Oil", como foi apelidado por Eike, levou com ele algumas dezenas de funcionários do setor de exploração e produção da empresa. Passaria os anos seguintes negando, em entrevistas, que tivesse levado também, para Eike, o mapa das descobertas do pré-sal, armazenados em supercomputadores.

A saída de Mendonça da Petrobras, acompanhado do gerente de contratos do departamento, Luís Reis, gerou uma crise na estatal. No dia em que anunciou a intenção de agregar-se à equipe de Eike Batista, foi chamado mais de uma vez de "traidor" pelo diretor de Exploração e Produção, Guilherme Estrella, que o procurou no gabinete para tirar satisfações.

Estrella foi além: em outubro, às vésperas da nona rodada de licitações para exploração de áreas de petrolíferas, o diretor da Petrobras, apoiado pelo presidente da estatal, José Sérgio Gabrielli, capitaneou uma reunião com o presidente Luiz Inácio Lula da Silva e os ministros de Energia, Nélson Hubner, interino, e de Ciência e Tecnologia, Sérgio Rezende, a quem mostrou, com ajuda de um vídeo em terceira dimensão e óculos especiais, a importância da descoberta do petróleo na chamada camada do pré-sal. Havia reservas de gás e petróleo equivalentes a oito bilhões de barris de óleo, quase 60% das reservas identificadas no país.

Dos 312 blocos a serem licitados pela Agência Nacional de Petróleo, 41 estavam na área onde havia reservas do pré-sal. Era preciso cancelar o leilão, se o governo não queria correr o risco de dar um "bilhete premiado" às empresas privadas, na maioria multinacionais, argumentou Estrella. O "traidor" Paulo Mendonça também foi lembrado como um trunfo da recém-criada OGX no leilão, capaz de levar a empresa privada a disputar, com vantagens, com a Petrobras as reservas de petróleo certo.

Lula mandou sua ministra-chefe da Casa Civil, Dilma Rousseff, convocar uma reunião do Conselho Nacional de Política Energética, responsável por decisões na área. Para não cancelar toda a licitação, gerando problemas com investidores e regiões que seriam beneficiadas pelos royalties do petróleo, o conselho decidiu tirar da oferta os 41 blocos vizinhos às áreas já identificadas do pré-sal. Eike, que havia baseado a estratégia de sua OGX na captura dessas áreas, teve de mudar de planos. "Melhor ainda; em águas rasas é mais barato", teria dito o empresário, segundo um de seus ex-colaboradores.

Essa capacidade de Eike de desdenhar das novas dificuldades e manter o otimismo mesmo com a deterioração das expectativas é uma das características elogiadas no empresário, mas também um elemento que provocava desconfianças entre seus parceiros. Um executivo que o acompanhou em rodadas de apresentações a investidores estrangeiros lembra como ele, por muito tempo, defendeu a instalação de seu estaleiro em Santa Catarina, lugar "ideal" pela baía protegida, por sua proximidade a grandes portos e a existência de um polo metal-mecânico com mão de obra especializada disponível e bem-treinada. Com o cancelamento dos planos no Sul, barrados por motivos ambientais e pressão da população local, ele mudou rapidamente o slide sobre o estaleiro em suas apresentações de PowerPoint, e o Porto do Açu, no Norte fluminense, passou a ser defendido como o porto mais adequado a suas pretensões navais.

O anúncio da retirada dos blocos, feito a duas semanas da licitação da ANP, foi uma surpresa que desanimou muitos dos que acompanhavam Eike nos planos da OGX, segundo um conselheiro do empresário na época. O então presidente da empresa, Francisco Gros, chegou a revelar à repórter Consuelo Dieguez que o grupo contava com aquelas áreas e estava disposto a ir "no limite das possibilidades" para consegui-las, disputando com a Petrobras. Mendonça, sempre otimista, endossava a animação de Eike, mesmo após perder a chance de obter as áreas à prova de risco na bacia de Santos.

Dinheiro, o grupo conseguiu quando ainda engatinhava no terreno dominado por empresas tradicionais de atuação internacional. A OGX fez, pouco após sua criação, o que se chama no jargão de mercado "private placement", a venda de ações da empresa a grandes investidores privados. Os 12 investidores dispostos a seguir Eike no ramo do petróleo repetiram o fenômeno Cynthia Carroll, na MMX, ainda que em quantia bem menos desmedida: os megafundos de investimento internacionais BlackRock (que, em breve, se tornaria o maior gestor de investimentos do mundo) e Pimco, o Gávea Investimentos, do ex-presidente do Banco Central Armínio Fraga, o BTG Pactual, de André Esteves, e outros pesos-pesados compraram US$ 1,3 bilhão em ações da nova companhia. Com essa aposta, sinalizaram ao mercado o grau de confiança merecido pela aventura petrolífera de Eike.

Entre os novos sócios estava também o fundo de pensão dos professores de Ontário, velho conhecido de Eike como grande investidor na TVX, sua mineradora de ouro, que chegaria a ser o segundo maior acionista da nova empresa. Os gestores do Ontario Pension Fund haviam gostado da experiência da TVX, pois lucraram. A empresa praticamente quebrou nas mãos de Eike, mas os professores haviam vendido as ações quando perceberam que já tinham valorizado o suficiente, antes da derrocada. Repetiriam a estratégia na OGX.

Detalhe que os acionistas minoritários sempre desconheceram: a compra de ações da OGX nem de longe significou um matrimônio sólido com a empresa, mas uma oportunidade extra de investimento em uma época de excitação irracional nos mercados financeiros mundiais, enorme confiança em relação ao desempenho da economia brasileira, muito dinheiro disponível e poucas oportunidades de investimento. Em dezembro de 2011, antes mesmo que as ações da OGX chegassem ao pico de sua valorização e entrassem em queda livre, esses primeiros sócios de Eike já haviam aproveitado o forte crescimento no valor da empresa e vendido grande parte das ações que haviam comprado antes que a companhia de Eike fosse oferecida na bolsa de valores. Satisfeitos, os administradores de fundos Pimco e BlackRock comprariam, mais tarde, títulos de dívida — bonds — da OGX e teriam dores de cabeça quando a empresa começou a ter dificuldades para pagar suas contas.

O dinheiro em caixa obtido com o lançamento privado de ações deu a Eike o fôlego de que precisava para dar um mergulho ornamental no leilão de áreas de exploração de hidrocarbonetos promovido pela ANP. O leilão ocorreu quatro semanas após a criação da OGX, duas semanas após a decisão do governo Lula de tirar do jogo os 41 blocos vizinhos às reservas gigantes descobertas pela Petrobras. Em uma licitação na qual as maiores empresas estrangeiras do setor decidiram ficar de fora, a OGX surpreendeu a todos.

Eike e seu time petroleiro foram a estrela do leilão, com a compra de 21 dos 271 blocos postos à venda, o maior número de áreas arrematadas depois da Petrobras. A OGX ficou com quase 18% do total de blocos arrematados, mas, com seus lances, que chegaram a duplicar ofertas feitas pela Petrobras na bacia de Campos, foi responsável por 70%, ou R$ 1,5 bilhão, dos R$ 2,1 bilhões arrecadados. Na bacia de Santos, na área próxima a das impressionantes reservas do pré-sal anunciadas pelo governo, a petroleira do grupo X deu o maior lance do leilão por uma área, R$ 344 milhões, disputada com a Petrobras.

Até especialistas do setor buscaram, perplexos, razões na espantosa liberalidade da empresa recém-chegada, nos lances para aquisição de áreas de exploração de petróleo, em regiões de potencial reconhecido, como a bacia de Campos, e em áreas de grande expectativa, na bacia de Santos. Como em uma partida de pôquer, Eike conseguiu dar a impressão de que a equipe de veteranos da Petrobras contratada pela OGX tinha, nas mãos, jogadas ocultas aos demais participantes do mercado. Algo ELES sabiam. Quando, seis meses depois, o empresário lançou as ações da OGX na bolsa de valores, o sucesso estava garantido.

"Quem escolheu os blocos da bacia de Campos, por exemplo, tinha total conhecimento, e isso deixa o investidor mais seguro", arriscaria na época um dos mais respeitados — e críticos — especialistas do ramo, o economista Adriano Pires, à jornalista Denise Luna, da Reuters. "O Eike, além de empreendedor, não teme risco e tem sorte", acreditava.

De fato, foi um recorde na história da Bovespa. E um excelente negócio para os acionistas que colocaram seu dinheiro na empresa antes da abertura de capital. Esses investidores, segundo um financista com grande conhecimento sobre a OGX, multiplicaram por seis o dinheiro que aplicaram na empresa novata.

"Os investidores realmente compreenderam que estavam diante de uma oportunidade única", rememoraria Eike, dois anos mais tarde. "Foi também um grande referendo à minha capacidade de execução e um voto de confiança jamais recebido por um controlador de empresa de capital aberto no país." O que ele faria com esse voto, nem o próprio Eike foi capaz de prever.

15. Cadê o óleo que estava aqui?

Recordista em competição de lanchas em alto-mar, Eike Batista costumava fazer piadas com a fama do esporte, um dos mais mortais estilos de competição de alto risco. Basta uma manobra malfeita ou um obstáculo imprevisto, uma marola inocente, para que as embarcações, a velocidades que se aproximam de 150 km/h em mar aberto, possam decolar, rodar em parafuso e esmagar seus pilotos contra a superfície marinha. Por muito tempo, era a esse tipo de aventura arriscada que o fundador do grupo X se referia ao falar de offshore.

Nos anos 2000, Eike passou a mirar outro tipo de risco offshore, com o mesmo espírito de ousadia. E muito mais gente decolou com ele e arrebentou-se, sem saber, no início e durante a viagem, o tamanho do perigo que estava correndo. No *cockpit* de uma empresa de petróleo com capacidade modesta, Eike acelerou cronogramas de exploração e levou ao limite a resistência do mercado de valores, elevando-se a alturas e despencando espetacularmente, no tempo recorde de quase quatro anos.

Nas lanchas offshore, a tripulação é composta, em geral, de três pessoas: uma delas é responsável pelo leme, a outra pelo ritmo do motor e a terceira pelas orientações de navegação. Na exploração de petróleo, no mar (offshore) e em terra (onshore), Eike confiou a bússola, inicialmente, a seu "Mr. Oil", o geólogo Paulo Mendonça, que aplaudia as manobras mais arriscadas do timoneiro-patrão e lia as cartas de navegação da nau OGX com a euforia de marinheiro de primeira viagem.

Os críticos da saga X costumam dizer que a exploração de petróleo tem dois tipos de especialistas: os geólogos, craques em apontar os locais onde se encontra o óleo, e os engenheiros, capazes de constatar se, de fato, o óleo encravado na terra é recuperável a um custo que viabiliza o lucro ao explorador. Na mitologia que sai das conversas reservadas de dirigentes e ex-dirigentes da companhia, esses dois grupos tiveram sérias disputas, e os engenheiros perderam.

Eike teria confiado demais na equipe chefiada por um geólogo reconhecidamente otimista, sem se escudar na opinião mais conservadora dos engenheiros, até porque considerava "uns calças-curtas" aqueles que lhe recomendavam baixar as expectativas e as pretensões de suas campanhas exploratórias. Que piloto de Fórmula 1 ouviria o amigo que lhe recomenda fazer todas curvas em absoluta segurança mesmo que isso o obrigue a ficar longe do pódio dos campeões?

Sempre entusiasmado, Eike não demonstrava ter noção de que se metera em uma atividade de alto risco. Costumava mencionar — e divulgar, em apresentações de vídeo — a baixa proporção de desacertos nas campanhas de prospecção de petróleo no Brasil, sem atentar que estava falando de estatísticas da Petrobras, uma estatal com décadas de experiência comprovada e um modo bem diferente, mais complacente, de lidar com suas planilhas de custos, em relação às práticas da iniciativa privada.

Avessos a notícias ruins, Eike e seus companheiros de viagem na direção da OGX, ao verem frustradas as previsões anunciadas por eles, agiram, com frequência, como um jogador de baralho que dobra as apostas para evitar que o peguem no blefe. A empresa escondeu informações negativas sobre seus campos. E, pior, omitiu informações que beneficiaram seus dirigentes, em detrimento dos que a acompanharam na corrida pelo petróleo. Enquanto Eike manteve a aura de empresário destemido e vitorioso, perdoaram-lhe alguns desses pecados. Quando ficou evidente que embarcaram em uma canoa furada, rumo ao desastre, muitos acionistas partiram para o salve-se quem puder na bolsa de valores.

A Comissão de Valores Mobiliários, o mal-equipado e muitas vezes distraído xerife do mercado de ações, teve dificuldades em agir, no caso EBX, sem ser provocado e, ao contrário de sua contraparte dos Estados Unidos, a SEC, não tinha especialistas na área de petróleo, capazes de avaliar previamente a qualidade de informações prestadas aos acionistas no período de atividade da OGX. Mas, já no primeiro dia de existência da OGX como companhia aberta no mercado de valores, Eike, na análise da CVM, rompeu as regras e levou multa.

Em junho, foram lançadas as ações da OGX. Dirigentes do banco responsável pelo lançamento, o Credit Suisse, garantiram com Eike, nesse dia, o direito de comprar um lote adicional de ações por um preço fixo, de R$ 1.131 por ação, caso a procura dos investidores levasse o preço dos papéis acima desse patamar (meses depois, cada ação foi dividida em cem, o que significa que hoje esse preço mínimo equivaleria a R$ 11,31). Declarações otimistas de Eike e do diretor do Credit Suisse José Olympio Pereira, nos dias anteriores ao lançamento, ajudaram a elevar o preço bem acima desse patamar mínimo, e o banco usou seu direito de comprar seu lote adicional, o que lhe permitia adquirir ações a R$ 1.131 num momento em que o mercado pagava pelo menos R$ 1.210 por ação.

Só a compra do lote de ações oferecido por Eike ao Credit Suisse pelo preço mínimo e sua venda, em seguida, ao mercado permitiriam um ganho de, pelo menos, R$ 58 milhões a quem fizesse o negócio. Esse tipo de incentivo é comum em lançamentos de ações e estimula o banco responsável pela abertura na bolsa a buscar a maior valorização possível da empresa (o lucro é maior quanto maior for a diferença entre o piso, pelo qual o banco pode comprar ações recém-lançadas, e o preço atingido no mercado, pelo qual se pode vender as mesmas ações imediatamente). Mas é proibido ao banco inflar artificialmente a procura, e, para a CVM, foi isso, exatamente, o que fizeram os responsáveis pela abertura da OGX no mercado acionário.

Segundo a CVM, Eike e o diretor do Credit Suisse anabolizaram a oferta de ações da OGX, com declarações públicas de incentivo às compras, sem incluir, como é obrigatório nos comunicados oficiais, alertas para o risco da empresa. Era preciso alertar, não só na papelada de lançamento, mas também nas outras manifestações públicas do banco de dirigentes da companhia, que a OGX não tinha histórico na área de petróleo, atuava em um setor já bastante arriscado e fazia projeções de produção que poderiam simplesmente não se realizar.

Condenados pela CVM, Eike e o banco fizeram um acordo para não repetir o malfeito e pagaram multas, de R$ 100 mil para o dono da OGX e o banco e R$ 50 mil para o diretor. Valores que poderiam servir de trocado, comparados ao total que ambos haviam obtido com o lançamento das ações. Nada que impedisse o bem-sucedido magnata de abrir as champanhes selecionadas e guardadas em sua adega especial.

O lançamento da OGX foi, como gostava o controlador da EBX, um recorde. A empresa captou R$ 6,7 bilhões naquele dia, valor nunca alcançado na Bovespa. Sacramentava-se a fama de arrojado visionário alimentada por Eike Batista. A empresa que, em breve, se apresentaria como a maior companhia privada em ação na exploração de petróleo no Brasil estreava nas bolsas de valores — sem uma broca sequer a furar a crosta terrestre em busca de óleo — como uma das maiores empresas do país, em valor de mercado.

Mais uma vez, Eike aproveitava a elevação de uma onda no mercado de commodities; o preço do barril de petróleo elevava-se acima de US$ 100. Além disso, no Brasil, as altas taxas de juros permitiram a ele, com a aplicação de seus bilhões no mercado financeiro, apresentar lucro, quase R$ 360 milhões, no fim do primeiro ano da OGX como companhia aberta.

Quando começou, de fato, em agosto de 2009, a chamada campanha de exploração, a pesquisa por petróleo nas áreas arrematadas,

Eike, a cada passo, encorajava acionistas e potenciais investidores com manifestações públicas otimistas. Elas movimentavam a história da empresa em um momento carente de notícias realmente relevantes. Sem ter comprovadas suas reservas, a OGX não se constrangia de fazer algo que a Petrobras sempre evitou: divulgar as reservas prováveis e possíveis, uma coleção de deduções dos geólogos de empresas especializadas, a partir dos dados sismológicos, confrontados com as primeiras indicações descobertas nos locais.

Durante a vida da OGX, declarações de Eike, em entrevistas ou no *Twitter*, com previsões ou comentários superlativos, às vezes em contradição com a situação real da companhia, agitaram as ações da companhia nas bolsas. Engajado em seu papel de animador do espírito aventureiro dos investidores, o empresário abusou de declarações que, pelas regras de mercados de valores como os dos Estados Unidos e do Canadá, poderiam levar o controlador da empresa a sérias dificuldades com a Justiça, mas que, no Brasil, encontram a complacência da legislação e, portanto, dos órgãos de fiscalização.

A OGX não fazia petróleo, mas fazia barulho, e os investidores pulavam. Em novembro de 2009, as ações da companhia, somadas, valiam pouco menos de R$ 48 bilhões. No mês seguinte, já estavam em mais de R$ 55 bilhões, e ficariam no patamar dos R$ 50 bilhões na metade de 2010, quando saltariam, de R$ 54 bilhões em junho, para R$ 60 bilhões em julho, R$ 71 bilhões em setembro, e, no auge, pouco mais de R$ 72 bilhões em outubro. A OGX era um sucesso. As empresas EBX, para usar uma expressão do agrado de Eike, bombavam nas bolsas.

Em 2010, Eike chegava ao grau máximo de exposição pública e era celebrado pela revista *Forbes* como o oitavo maior bilionário do mundo (chegaria ao sétimo posto, segundo a agência Bloomberg). O maior do Brasil.

A divulgação de dados positivos ou com aparência de tal era, com frequência, vazada no mais castiço geologuês, a linguagem adotada pelo diretor Paulo Mendonça para a comunicação com acionistas. Podia soar ininteligível para os leigos, mas servia para justificar, de forma misteriosa, o otimismo demonstrado nos "fatos relevantes" publicados pela empresa.

"Esse poço foi perfurado em um dos limites da estrutura, sendo uma importante informação no processo de delimitação da acumulação Vesúvio", perorava Mendonça, ao anunciar, em maio de 2010, descobertas na região onde a OGX retiraria seus primeiros barris de petróleo. A perfuração havia encontrado "um *net pay* de aproximadamente dez metros em reservatórios arenosos da seção eocênica", informava, garantindo ser uma notícia a comemorar.

Cláudia Schüffner, do *Valor Econômico*, já notava, em abril de 2010, que era "incomum, nas notificações feitas no Brasil", divulgar descobertas com esses detalhes extremamente técnicos, como o tal *net pay*, a espessura dos reservatórios de óleo. Claramente, a repórter, como alguns céticos, na época, desconfiava de algo. Esse algo não demorou muito a aparecer.

Em março de 2013, a OGX divulgaria que suas primeiras descobertas, apesar de *net pays* impressionantes e notáveis detalhes geológicos, não eram viáveis comercialmente. Só então o público descobriria que o poço chamado Vesúvio ainda estava improdutivo e necessitava de uma avaliação mais detalhada. Meses depois, em reportagem das jornalistas Raquel Landim e Renata Agostini, uma fonte anônima revelaria que a OGX encontrara petróleo inaproveitável naquele poço. O material era tão pesado que a petroleira havia conseguido extrair apenas "borra" do reservatório, o primeiro a ser explorado pela empresa.

Nada que justificasse o anúncio feito por Paulo Mendonça, ao revelar os primeiros resultados da exploração ali, ainda em 2009, falando em "excelente resultado", capaz de revelar "o grande potencial petrolífero" dos blocos. A descoberta do poço (feita, na verdade, anos antes, pela Petrobras, que não vira viabilidade econômica para o achado) era, segundo o diretor, "o começo de uma campanha exploratória altamente promissora".

"O sucesso desse poço confirma nossas expectativas positivas no grande potencial petrolífero da parte sul da bacia de Campos e abre caminhos para revelar o complexo Vesúvio e demais objetivos em nossos blocos", garantiu Mendonça. Havia ali pelo menos de US$ 500 milhões a US$ 1,5 bilhão, previu o geólogo. Falava do mesmo poço que seria considerado imprestável pela OGX, menos de quatro anos depois.

Não se pode acusar o empresário de criar sua OGX como um brinquedo ilusionista decorado apenas para enganar os crédulos. Até a entrada em concordata da OGX, Eike afundou mais de R$ 10 bilhões na empresa e perfurou mais de 120 poços em sua campanha de prospecção. Despejou, no começo da empresa, parte do dinheiro de suas contas pessoais e, algumas vezes, teve resultados encorajadores, como no caso do poço que ficou conhecido como Tubarão Martelo, na bacia de Campos, ou nas descobertas de gás na bacia do Parnaíba, no Maranhão, onde a OGX se associou à MPX, o braço de energia do grupo.

Mas as previsões invariavelmente exageradas e o desprezo por certos princípios de transparência que, teoricamente, regem o mercado de valores fizeram da trajetória das ações da petroleira uma montanha-russa, com picos notáveis em 2010 e 2012 e ladeiras cadentes que levavam junto os ânimos dos sócios da empresa na bolsa.

No fim de 2009, um mês após iniciada a campanha exploratória e com apenas três poços perfurados, a empresa anunciava a descoberta de petróleo (o poço de Vesúvio incluído) com potencial de 1,5 bilhão a 3,5 bilhões de barris, na bacia de Campos, sem contar ainda com uma avaliação sobre o poço de Waimea, mais tarde conhecido como Tubarão Azul.

A bola levantada pelos executivos da empresa era lançada para a plateia, com entusiasmo, por alguns analistas. "O anúncio reforça a nossa visão de que a OGX está diante do surgimento de uma nova província petrolífera no Brasil offshore, de alto potencial e baixo custo nas águas rasas do sul da bacia de Campos" escreveu o analista do Credit Suisse, Emerson Leite.

Em janeiro de 2012, a OGX comemorava bater um recorde no setor, ao anunciar a retirada do primeiro barril de óleo das reservas de Waimea. "O primeiro óleo da OGX, em pouco mais de dois anos da descoberta de Waimea, representa a quebra de mais um paradigma na indústria do petróleo e evidencia a velocidade de execução e o foco em resultados do Grupo EBX", trombeteou Eike.

Esquecia-se de que prometera um recorde ainda maior no começo da extração de petróleo na bacia de Campos, ainda em 2011. Ele estava em meio à disputa, discretamente encorajada pelo presidente Luiz Inácio Lula da Silva, para se tornar um dos acionistas controladores da mineradora Vale, o que o tornava mais disposto a alardear seus sucessos. Não faltavam, porém, analistas a endossar a felicidade do sr. X.

"O primeiro óleo é um sinal para o mercado de que a companhia está caminhando rapidamente para um novo patamar", disse ao site G1 o analista da Ativa Corretora Ricardo Correa. Aquele seria, até a queda do grupo X, o principal poço de petróleo da OGX, e a companhia de Eike o apresentava como sinal de "sucesso exploratório" de 90% em suas atividades, "três vezes superior ao da média mundial".

E seguiam-se as previsões: o poço que começava a entrar em funcionamento produziria de 15 a vinte mil barris por dia, por cinco meses, após os quais a produção aumentaria para quarenta mil a cinquenta mil barris diários, quando dois outros poços se ligariam à plataforma. Em 2013, garantiam, a OGX estaria produzindo 165 mil barris diários; em 2015, 730 mil barris; e, em 2019, quase 1,4 milhão.

No mundo real, os poços de Waimea, somados, nunca ultrapassaram os vinte mil barris diários. E, menos de quatro anos após o início recorde de operações, em março de 2013, a OGX comunicaria à ANP que "não existe, no momento, tecnologia capaz de tornar economicamente viável o desenvolvimento dos campos de Tubarão Tigre, Tubarão Gato e Tubarão Areia", os três poços que catapultariam a produção de Waimea.

Treinado desde a juventude na arte da persuasão, Eike usava todos os elementos disponíveis para cercar seus empreendimentos de imagens convincentes. Assim como o fato de ser filho de Eliezer Batista sempre o ajudou a convencer os observadores de que possuía conhecimentos secretos sobre reservas minerais, a presença de ex-funcionários da Petrobras com conhecimentos estratégicos era usada conscientemente pelo empresário como aval a suas apostas no petróleo.

Complementava a estratégia a associação com investidores de boa reputação no mercado: os sócios arregimentados no lançamento privado de ações da OGX eram uma das qualidades apontadas no prospecto de lançamento de ações da empresa. Para arrematar, o comandante da EBX fazia questão de mostrar suas boas conexões no governo, uma espécie de exibição do aval governamental.

Como avaliou um ex-dirigente do grupo X, acreditava-se, no mercado, que o governo sempre estaria disposto a socorrer as empresas de Eike. Ele alimentava essa impressão, buscando vincular a imagem de seus empreendimentos ao poder. Tentou, sem sucesso, que Lula, na presidência, visitasse seu Porto do Açu. Fez questão, em agosto de 2010, de telefonar ao presidente para comunicar a descoberta de uma "meia Bolívia" em reservas de gás no Maranhão, capaz de abastecer o país com 15 milhões m^3 de gás por dia. Lula comemorou e ajudou a divulgar o anúncio, que fez as ações da OGX e MPX subirem, em um dia de queda nas principais ações do índice da Bovespa. (A "meia Bolívia" produz, hoje, quase um quarto do que anunciara o empresário).

Eike frustrou-se quando não conseguiu espaço na agenda da presidente Dilma Rousseff para uma viagem dela a suas plataformas de petróleo, para acompanhar a primeira extração de óleo, no começo de 2012. Em seus esforços para que ela aceitasse participar de uma cerimônia simbólica para comemorar o feito do grupo X, decidiu aderir a um projeto acalentado pelo governo, de construção de uma fábrica de componentes eletrônicos em Minas Gerais.

No fim de 2011, foi em seu jato executivo para Brasília conversar com a presidente da República e o presidente do BNDES, Luciano Coutinho, para, segundo comentou a um executivo de outra empresa que o acompanhou na viagem, discutir com eles o projeto de criação de uma fábrica de semicondutores no Brasil.

Em outubro, Eike havia criado a oitava empresa do grupo X, a SIX, de soluções de informática para negócios em óleo e gás, com a compra de uma firma do setor. "Eles querem que eu entre no projeto da fábrica de semicondutores, é importante para o país", confidenciou. "Conseguiram que a IBM ceda a tecnologia." Era um projeto acalentado havia anos pelo ex-presidente da Volkswagen, Wolfgang Sauer, com apoio da secretária de Desenvolvimento de Minas Gerais, Dorothea Werneck, e financiamento do BNDES.

Ao viajar para o encontro, Eike estava com o cronograma de extração de petróleo do campo de Waimea, previsto para o início de 2012, e queria aproveitar a oportunidade para convencer Dilma a acompanhá-lo à plataforma. "Se a Dilma inaugurar isso, vai ter um valor extraordinário", comentou com o companheiro de viagem. Em Brasília, comprometeu-se com o projeto, que, em fevereiro de 2012, ganharia as licenças de instalação. Em novembro, seria oficializada a fábrica, com participação da IBM e do governo mineiro e financiamento do BNDES. A SIX cogitaria até atender a outro pleito do governo Dilma, associar-se à taiwanesa Foxconn para trazer uma fábrica ao país — projeto que não vingou. (Com a crise da EBX, a própria SIX chegou ao fim de 2013 sob observação, esperando sem sucesso investimentos prometidos por Eike e buscando novo sócio para substituí-lo.)

Entre um evento e outro na fábrica de componentes eletrônicos somada ao grupo X, em março de 2012, Dilma concordaria em participar de uma cerimônia simbólica, no ainda incipiente Porto do Açu, para comemorar a extração do primeiro óleo da OGX.

Àquela altura, não era de conhecimento público, mas Eike já tinha informações bem menos otimistas em relação às perspectivas de seus campos e buscava ajuda da Petrobras, para encomendas feitas à sua OSX, o estaleiro criado para fornecer equipamentos à petroleira do grupo. Dilma prometeu, publicamente, "toda a atenção e todo o suporte" ao grupo X. E estimulou a Petrobras a cooperar.

"Não há e não pode haver concorrência no nosso espírito entre duas grandes empresas, como é o caso da Petrobras e da OGX", discursou a presidente. "A OGX tem uma grande contribuição na produção de petróleo offshore no Brasil."

Eike, trajando o mesmo macacão laranja da EBX que fizera Dilma vestir, exibindo a gravata rosa de seda que era uma de suas preferidas, previu que, até 2015, sua companhia estaria extraindo 450 mil barris por dia dos campos no país. Na roupa de ambos, marcas de mão, pretas, simbolizavam o petróleo extraído. Eram decalques imitando manchas de mão sujas de óleo, detalhe propagandístico que não foi esquecido pelo mestre do marketing pessoal.

Meses depois, a Petrobras firmava com a OSX o estaleiro de Eike, contrato de US$ 900 milhões para implantação dos navios-plataforma (FPSO) de exploração de petróleo. Mas os esforços de Eike para um acordo da OSX com a Sete Brasil, empresa que fornece a Petrobras, não foram à frente, após uma sucessão de rumores até sobre uma possível venda da companhia de Eike à fornecedora da Petrobras, negados por ambos.

Ainda em março, a EBX anunciaria a entrada do fundo de investimentos Mubadala, um administrador de Abu Dhabi, nos Emirados

Árabes, como sócia na Centennial Asset Brazilian Equity Fund LLC, um dos principais fundos de investimentos no exterior pelos quais o empresário administra suas participações no grupo X. Com US$ 2 bilhões, o Mubadala, responsável pelos investimentos de cerca de US$ 55 bilhões dos petrodólares dos Emirados Árabes no exterior, teria se transformado em sócio de Eike, comprando cerca de 5,6% de participação no Centennial.

Era uma forma edulcorada de revelar uma transação que estava mais para financiamento do que para participação acionária. O contrato com o Mubadala funcionava, na verdade, como um empréstimo, que só se transformaria em compra de ações caso as empresas de Eike recuperassem seu valor no mercado. Eike capitalizou a operação, como de hábito: "É um marco, o primeiro investimento significativo da Mubadala no Brasil", comentou, apresentando o negócio como um novo laço entre o país e os árabes. Havia conseguido um credor, mas o apresentou como se tivesse atraído um novo sócio.

Em maio, Eike divulgaria o ingresso da multinacional GE como sócia minoritária de seu Centennial, primeiro passo para investimentos da empresa estrangeira no Porto do Açu (que nunca foram feitos). Sem impacto significativo nas operações reais do grupo, a divulgação serviu para animar as ações das empresas X na bolsa.

Em 2013, já com seu Império X em pedaços, Eike seria obrigado a renegociar o contrato com os árabes, pagando uma parte do empréstimo e fortalecendo garantias oferecidas ao Mubadala. Ações do Mubadala na OGX e na OSX, à beira da concordata, seriam trocadas por participações em empresas fechadas do empresário, mais saudáveis, como a IMX, de espetáculos, e, especialmente, a AUX, de exploração de ouro na Colômbia. Mas, sem perder a majestade, Eike apresentaria o negócio como uma "reestruturação" do acordo entre as duas partes, finalizada "com sucesso". "O acordo reforça ainda mais a estabilidade do grupo EBX", diria a empresa, em nota.

O mecanismo criado para atrair e remunerar os executivos especialistas da EBX colaborava com o jogo do contente em que se transformaram os "fatos relevantes" da OGX. "É o kit felicidade", definia Eike: o empresário prometia destacar de suas próprias ações entre US$ 2 milhões e US$ 5 milhões por ano para complementar o salário de seus executivos. Com base nos dados informados à CVM, o jornal *O Globo* calculou que, em 2010, cada diretor da OGX ganhou em média R$ 1 milhão em salário e outros R$ 9 milhões em ações da empresa.

Contam-se histórias entre antigos executivos da EBX de diretores que deixaram a empresa com pacotes superiores a R$ 150 milhões. Notícias que derrubassem ações tinham efeito imediato sobre os planos financeiros individuais de cada dirigente do grupo X. Os executivos tinham um prazo para converter em dinheiro vivo suas opções em ações, o que, para muitos analistas, fez com que dirigentes das empresas X, após desentendimentos com Eike, ficassem no grupo somente tempo suficiente para garantir seus ganhos e partir para outra. A vinculação dos salários ao valor das ações comprometia também os executivos com o esforço constante de valorização dos papéis, o que exigia manter na sombra más notícias sobre as empresas X.

Sem resultados visíveis a mostrar, a petrolífera passava a ser medida pelo humor dos acionistas, que sabiam castigar a empresa quando decepcionados. Em 2012, na última semana de maio, Paulo Mendonça, a essa altura presidente da OGX, revelaria que o campo celebrado um mês antes por Eike e Dilma, o futuro Tubarão Azul, havia sofrido queda na produção de óleo, para 8,5 mil barris por dia. A produção estimada para o campo de Waimea passava a ser de 110 milhões de barris recuperáveis das profundezas, bem abaixo dos 500 milhões a 900 milhões que o mercado fora acostumado a esperar. Com a reação dos investidores as ações da empresa caíam mais de 8%, o que valeu ao "Mr. Oil" críticas dentro do grupo.

Já nessa época, segundo um executivo que não fazia mais parte de uma das principais empresas X, dirigentes da EBX comentavam em conversas reservadas que o potencial dos poços era uma fração ínfima do que fora anunciado. Houve sigilo sobre as informações pessimistas, contidas em relatórios não divulgados ao público, que só em 2013 seriam revelados em detalhes pelo jornal *Folha de S.Paulo*. Segundo a avaliação descoberta pelo jornal, conhecida desde o começo de 2012 pela diretoria da OGX, as reservas recuperáveis na bacia de Campos eram bem inferiores do que se acreditava, abaixo de 18% do volume que a OGX comunicara aos acionistas. A empresa teria escondido a informação enquanto não encontrava alternativa de produção de óleo para contentar os investidores.

Em junho de 2012, o mercado conheceria uma informação menos assustadora que o relatório arrasador sobre as reservas. A novidade revelada naquele mês foi considerada, porém, alarmante na época: a OGX fora obrigada a rever suas estimativas para a produção dos seus poços na bacia de Campos, para cinco mil barris de petróleo por dia em cada poço, um quarto dos vinte mil, que chegara a anunciar. A exploração seria "muito viável", apesar de tudo, chegaria a argumentar Eike, com Mendonça ao lado, em uma teleconferência. Mas o mercado pune, como repetiria ele, mais tarde.

Em dois dias, as ações das empresas EBX perderam R$ 13,8 bilhões em valor de mercado. Ao ver que a decepção com sua campanha exploratória derretia o valor de suas empresas na bolsa, Eike chamou à sua sala o conselheiro e o responsabilizou pela disparidade entre promessas e resultados. A conversa transformou-se em discussão. Os papéis da OGX caíam cerca de 25%, e, com eles, caiu Paulo Mendonça. Ele foi afastado da presidência da petrolífera e deslocado para um cargo de assessoria na EBX. Em julho de 2012, Mendonça já não fazia parte da família X.

Em abril, o conjunto das empresas X negociadas em bolsa, o time de companhias abertas de Eike, valia cerca de R$ 61,7 bilhões.

Em junho, esse valor havia caído para pouco menos de R$ 31,5 bilhões. Só a OGX respondia pela perda de R$ 25 bilhões.

Eike começava a bater uma sucessão de recordes na categoria destruição de valor de empresas negociadas no mercado de ações.

16. Excentricidades e estranhezas do estilo X

Ex-sócios, amigos, gente do governo e outras pessoas próximas de Eike Batista em algum momento da saga X insistem que não se pode atribuir fraude ou má-fé ao empresário. Ele teria sido vítima da própria personalidade, inclinada a atitudes que, quando dão certo, alimentam um folclore de excentricidades. Mas, quando acabam em desastre, inspiram diagnósticos buscados em manuais de medicina ou de psicologia.

Eike, segundo um colaborador hoje distante do centro de decisões da EBX, concebeu projetos que tinham lógica e viabilidade, mas subestimou a complexidade da execução desses investimentos, de seu financiamento, da gerência, no dia a dia. É grande o número de pessoas no governo que pensam o mesmo sobre as razões da queda do grupo EBX, nos setores onde atuou o empresário e no mercado financeiro.

Ele dizia cercar-se dos melhores, mas o número de executivos de alto gabarito reunido por ele contava-se às dezenas, quando suas operações requeriam algumas centenas. Seu estilo centralizador contrastava com a volatilidade de sua atenção.

Na espaçosa sala de reuniões, dotada de uma mesa gigantesca, chamava a atenção a falta de apresentações organizadas, por parte dos executivos que o assessoravam na administração dos diversos interesses da EBX. Ali, nota um ex-dirigente do grupo, nas reuniões de diretoria, eram mais raras — faziam até falta — as apresentações organizadas em PowerPoint, tão comuns na divulgação dos sonhos do empresário a potenciais investidores.

A governança do grupo EBX também era sui generis. Os organogramas do grupo formam verdadeiras teias de aranha, de participações cruzadas, uma empresa com parte de outra, sendo todas, inclusive as de capital fechado (sem ações em bolsa) subordinadas ou a Eike pessoalmente ou a algum de seus veículos de investimentos sediados no exterior, como a Centennial Asset Brazilian Equity e a Centennial Asset Mining. As empresas X costumam subdividir-se em subsidiárias, como, por exemplo, a OSX, na qual cada plataforma de petróleo está subordinada como uma empresa à parte.

A EBX, ao contrário do que parece aos distraídos, não é a holding, a empresa-mãe à qual as outras se subordinam, mas a companhia encarregada de administrar as participações das Centennial e de Eike. As despesas da EBX, inclusive pagamento de seus diretores, análises financeiras e a frota de jatinhos executivos, eram rateadas pelas empresas do grupo, o que gerava atrito entre as diretorias e a nave-mãe. Alguns diretores argumentavam, com razão, que os gastos com a EBX oneravam as contas das empresas sem contribuir para gerar valor aos acionistas.

No luxuoso edifício Serrador, de onde o criador do grupo X operava seus interesses, alguém que passasse do outro lado da enorme parede envidraçada que separava a mesa de reuniões da escrivaninha da secretária corria o risco de ser chamado por Eike à discussão em curso, ainda que não tivesse relação com o tema ou soubesse o que dizer. Nos últimos anos da empresa, os visitantes do todo-poderoso da EBX eram surpreendidos por uma novidade peluda: ao lado do dono, estava Eric, arfante, o cão pastor comprado, dizia Eike, por US$ 50 mil e transportado de avião desde a Alemanha.

"Esse é o cachorro que os alemães usavam na Segunda Guerra", explicou a um amigo, recepcionado e inspecionado pelo focinho úmido do enorme cão. Era tranquilo, educadíssimo, explicava o dono. "Sitz!", ordenava Eike. E o cão, treinado na língua de Nietzsche, sentava, obediente. Mais de um executivo de multinacional teve de dividir, com um buliçoso Eric, reuniões decisórias com o presidente do Conselho de Administração das empresas X.

Pela ousadia e idiossincrasias de seu criador e comandante, a EBX nunca foi uma empresa comum. Mas seria pedir demais aos acionistas minoritários, com economias pessoais e planos de aposentadoria tragados com o naufrágio do grupo, que aceitassem algumas insólitas movimentações de Eike no mercado como apenas outra demonstração da excentricidade de um bilionário fora do normal.

Um dos casos mais bizarros da história da EBX envolve Eike e Paulo Mendonça. Em abril de 2011, os dirigentes da OGX fizeram publicar um "fato relevante" sobre as perspectivas da companhia, atribuindo números superdimensionados a estudos da empresa responsável pela avaliação do potencial de suas descobertas, a DeGolyer and MacNaughton (Demac). Em lugar de 6,8 bilhões de barris de óleo equivalente (tomando todas as reservas de petróleo e de gás), a OGX teria, somando seus campos no Maranhão e na Colômbia e nas bacias de Campos e Santos, 10,8 bilhões de barris.

O momento era de forte retração no mercado de valores devido à alta da inflação e ao mau desempenho da Petrobras. A inapetência dos investidores em bolsa levaria a OGX, até então sem dívidas relevantes, a buscar no mercado externo, em maio, empréstimos de US$ 2,6 bilhões para financiar sua campanha de exploração. Mas, em abril, interpretando com excessiva benevolência o relatório da DeGolyer and MacNaughton, a empresa fazia festa com os dados.

Os bilhões de barris à espera das sondas exploratórias eram "uma importante e acelerada evolução na base de ativos da companhia", comemorava a OGX. O aumento surpreendente em suas reservas atestava a "capacidade de crescer organicamente, através das gigantescas descobertas realizadas, e por meio da aquisição de novas áreas". Era uma demonstração "única de geração de valor e entrega de resultados", acrescentava a companhia.

Eike agregava, no comunicado: "Esses resultados, apresentados por uma consultoria independente e respeitada em todo o mundo, vêm comprovar o extraordinário sucesso de nossa estratégia de atuação."

O segredo, contava o presidente do Conselho de Administração e CEO da OGX, era a exploração de "ativos de classe mundial", na maioria em águas rasas, com reservas de petróleo em "escala e produtividade comparáveis às do pré-sal", com uma diferença: "custos muito mais baixos e tecnologia amplamente dominada." Falava principalmente das reservas do campo de Waimea, aquelas que, no ano seguinte, decepcionariam os investidores ao se mostrarem bem menos produtivas do que se pensava. (Os custos de extração de petróleo, que Eike previra manter em US$ 8 por barril, chegariam, em 2012, a quase US$ 60 por barril, devido à extração de óleo bem abaixo da capacidade da plataforma usada pela companhia.)

Como fez durante boa parte de sua história, a OGX misturava, na propaganda sobre o potencial de petróleo a ser extraído, estimativas sujeitas a fortes correções, os chamados recursos contingentes ou prospectivos, com reservas provadas, comprovadamente medidas por meio de perfurações e avaliação de especialistas. A OGX não tinha, ainda, nenhuma reserva provada, e seus recursos contingentes na bacia de Campos, avaliados a partir de um número limitado de perfurações com descoberta de óleo, estavam, na hipótese mais conservadora, perto de cem milhões de barris.

Dizendo-se conservadores, os especialistas da OGX faziam o contrário. A Petrobras, que não divulga essas estimativas sujeitas a — grande — erro, tinha cerca de 15 bilhões em reservas provadas, e, para aproximar-se da estatal, a OGX, na época comandada por Paulo Mendonça, somou hipóteses mais otimistas em relação aos poços da bacia de Campos com estimativas feitas com métodos diferentes nos campos de gás no Maranhão e projeções ainda grosseiras em outras áreas.

O malabarismo numérico não foi suficiente para reverter a tendência de baixa no mercado de ações, até porque os analistas do setor tiveram acesso ao relatório da empresa que mediu o potencial petrolífero da companhia e souberam ler o que havia de real no texto. O relatório foi ressuscitado, porém, dois anos depois, pelo próprio Eike, para justificar as dificuldades enfrentadas pela sua petroleira. Mas, nesse caso, pela primeira vez, a empresa americana o obrigou a contar a verdade, sem maquiagem.

Em agosto de 2013, após silêncio de meses, inclusive no *Twitter*, onde desde 2010 mantinha atividade frenética, Eike publicou um artigo nos jornais *O Globo* e *Valor Econômico*, em que culpava seus executivos e a empresa avaliadora por seus erros de perspectiva. "A expectativa em torno da OGX era altíssima. Essa mesma expectativa parecia uma irrelevância diante dos prognósticos que recebi de diversas empresas independentes no mercado do petróleo", argumentou o condutor da EBX. "Uma delas foi a DeGolyer and MacNaughton. De acordo com um relatório divulgado em 2011, auditado por empresas independentes de renome internacional, a OGX possuiria recursos aproximados de 10,8 bilhões de barris de petróleo equivalente (incluídos recursos contingenciais e prospectivos)", afirmou.

"Meu corpo técnico me reafirmava, dia após dia, a mesma coisa", seguia Eike. "Minhas empresas eram auditadas por três das maiores agências de risco do mundo, e nunca uma delas veio a mim ou a público alertar que não era bem assim."

Os ex-executivos e as agências de risco engoliram a correta lembrança sobre suas omissões, feita pelo bilionário em desgraça. Mas a DeGolyer and MacNaughton, que no relatório embelezado por Paulo Mendonça já advertia não ser possível somar óleos com gases da maneira como fez a OGX, exigiu, por telefone, uma retratação.

Ela veio sob a forma de um constrangedor "esclarecimento" ao mercado. "A declaração do sr. Eike Batista na imprensa recentemente, na qual fez referência à quantidade de 10,8 bi boe (bilhões de barris de óleo equivalente), foi baseada exclusivamente nas informações que recebeu do referido diretor-geral e de Exploração da companhia, e não em afirmação constante de relatório de qualquer certificadora contratada pela companhia", afirmou a OGX. O valor de 10,8 bilhões de barris equivalentes de óleo tinha sido uma soma "a título ilustrativo" de estimativas de diversas certificadoras de reservas, explicava, com um atraso de quase trinta meses.

Em setembro, em famosa entrevista ao *Wall Street Journal*, em que disse estar "comendo vidro" com o esfacelamento de seu grupo empresarial, Eike reconheceu que reproduzia, sem crítica, relatórios "brilhantes" de executivos interessados, segundo o jornal, nos bônus vinculados ao mercado de ações. "A motivação não era necessariamente me apresentar a verdade", diria o empresário, trajando, como de costume, seu terno de risca e uma camiseta cinza, com os cabelos em desalinho e o rosto mostrando o cansaço de noites em claro com negociadores para salvar seu grupo X.

Entre os acionistas minoritários que foram forçados a engolir pó, em vez dos anunciados lucros com a OGX, um dos mais ativos na busca dos verdadeiros responsáveis pelo desastre é o economista Aurélio Valporto, um cinquentão esportista, de rosto redondo, lutador de jiu-jitsu, com físico de halterofilista. Ex-operador do mercado de capitais, com mestrado em Finanças, Valporto acusa Eike de ter manipulado o mercado, sem o controle das instituições que deveriam impedi-lo.

"Eu não comprei ações de uma empresa startup (iniciante); comprei de uma companhia que tinha poços de petróleo promissores, que poderia vender", argumenta, incisivo, mostrando os "fatos relevantes" da OGX.

O anúncio, depois desmentido, de grandes possibilidades no campo conhecido como Vesúvio, na bacia de Santos, elevou em quase 5,4% os preços da ação da OGX naquele dia, 16 de janeiro de 2012.

"Tenho os gráficos, já na sexta-feira houve forte movimentação de ações", mostra ele. No dia do anúncio, lembra o investidor, havia o que o mercado de valores chama de vencimento de opções, quando os investidores concluem operações de compra e venda a um preço acertado previamente. Uma elevação ab-rupta nos preços de uma ação pode garantir grande lucro a quem apostou na alta, e prejuízo em quem acreditava em queda nas cotações. A CVM pune quem usa informações privilegiadas para prever esse tipo de movimento. Não houve investigação sobre o caso, queixa-se Valporto.

Ele e outros acionistas minoritários questionam na Justiça a inação da CVM e da bolsa de valores ao que consideram uma grave manipulação do mercado. No caso do poço de Vesúvio, que, por muito tempo, Valporto considerou patrimônio líquido e certo da OGX, a empresa chegou a divulgar outro "fato relevante" 15 dias depois, que reafirmava a visão otimista ao falar que poderiam ser maiores as estimativas para as reservas naquela região.

Investidor interessado, Valporto chegou a dominar a linguagem de Paulo Mendonça, o homem que falava geologuês na EBX, para saber, por exemplo, que, quando o diretor anunciava "excelentes condições de permoporosidade", estava informando ter encontrado rochas de fácil extração de petróleo. O pequeno investidor, treinado por sua experiência prévia no mercado de valores, anotou desde o primeiro "fato relevante", no fim de 2009, sobre as descobertas na bacia de Campos, até o sexto desses comunicados, em que se previa um volume recuperável de óleo entre um a dois bilhões de barris. Ele seguiu a sucessão de "fatos relevantes", um outro recorde da empresa, que, entre sua criação e outubro de 2013, emitiu mais de cem, mais da metade com notícias sobre a evolução positiva de sua campanha exploratória.

Valporto animou-se também com a entrevista concedida por Eike, em maio de 2010, para uma dupla de jovens entrevistadores de um canal de vídeo especializado em pequenos investidores, o XPTV, da maior corretora de varejo do país. "A OGX tem hoje U$ 1 trilhão de valor em petróleo, petróleo em águas rasas, que vai custar oito dólares de *lifting cost* (custo de extração)", afirmava Eike, em tom didático, para o casal que o entrevistava, medindo palavras como quem fala com um ídolo.

Eike, presidente do conselho de Administração da OGX, desdenhou do que considerava o baixo preço das ações da OGX com uma avaliação extraoficial sobre os blocos de exploração na bacia de Campos: "Talvez os melhores blocos de exploração do mundo, tá? Vou repetir: do mundo!" Deu valores: "Tem U$ 1 trilhão de valor ali; isso pode ser monetizado em valores de até US$ 100 bilhões, tá? Só nessa área de Campos." E vendeu seu negócio: "Quero que os brasileiros não percam a oportunidade de ganhar dinheiro com isso."

O investidor anotou, e lembrava sempre que os dirigentes informavam ser conservadores em suas projeções. Por isso, comenta, mantinha o otimismo quando os anúncios oficiais da companhia afastavam-se das hipérboles lançadas nas entrevistas dos dirigentes da OGX.

Tinha, como garantia, as regras da bolsa de valores, que impedem a divulgação, por integrantes das empresas abertas, de dados em desacordo com os números reais da contabilidade. A CVM chegou a enviar ofício para a OGX pedindo esclarecimentos sobre outros trechos da entrevista eufórica à XPTV, sem questionar as previsões de Eike, lembra. Além disso, as regras da Bovespa previam a interrupção das negociações com ações em caso de divulgação de notícia incompleta ou vaga capaz de influir de maneira relevante nas cotações. "O que o responsável pela empresa me garantia, e nenhum órgão fiscalizador questionou, era que meu risco era zero", insiste Valporto.

Em maio de 2012, a OGX divulgaria a declaração de comercialidade, ato que confirma a viabilidade de produzir petróleo com lucro, de um dos campos de exploração da bacia de Campos. Era o

Tubarão Azul, na área que chamava de Waimea. Ainda levaria quase um ano para declarar a comercialidade de outros três campos, conhecidos como Tubarão Areia, Tubarão Tigre e Tubarão Gato, em 13 de março de 2013. Somados aos outros poços já em atividade, esses novos campos poderiam produzir cerca de novecentos milhões de barris.

Em junho, lembra Valporto, a divulgação do relatório institucional da empresa, após comemorar a taxa de sucesso "de 80%", anunciava reservas avaliadas em 4,1 bilhões de barris. Os acionistas estranharam a ausência, nas tabelas, de detalhes sobre os campos que foram considerados comerciais três meses antes, mas leram no relatório a previsão de que o navio-plataforma OSX-2, previsto para operar nesses reservatórios, deveria extrair o "primeiro óleo" já no segundo semestre de 2013. Era uma boa notícia. E falsa.

"A companhia concluiu que não existe, até o momento, tecnologia capaz de tornar economicamente viável o desenvolvimento dos campos de Tubarão Tigre, Tubarão Gato e Tubarão Areia", disse o "fato relevante" encaminhado à CVM em 1 de julho. O campo de Tubarão Azul, que enfrentara uma série de problemas com equipamentos, deixaria de produzir, definitivamente, em 2014, acrescentou. E concluiu com um aviso quase dispensável: não eram mais válidas as projeções divulgadas antes, inclusive as metas de produção. A empresa havia levado quase três anos e meio para concluir que aqueles tubarões da bacia de Campos eram viáveis comercialmente e, menos de quatro meses depois disso, para descobrir que quase nenhum podia ser explorado, a não ser o único em funcionamento, que seria fechado em breve.

O trecho em queda livre da montanha-russa em que se transformara o gráfico dos preços das ações da OGX sacolejou como nunca nos meses que cercaram essas apresentações. Para os acionistas minoritários, que reuniram todos esses dados na ação que abriram contra Eike, faz falta, até hoje, uma investigação para avaliar se não houve ilegalidade nessas estranhas movimentações. Com os papéis valendo centavos, era muito barato fazer a cotação subir ou descer, o que tornava as ações da OGX sensíveis a qualquer movimento mais forte.

Uma das razões dos estranhos movimentos o próprio Eike encarregou-se a revelar, obrigado por lei, em comunicados da CVM: entre março e os dois primeiros dias de setembro, enquanto negociava com credores e potenciais investidores da OGX, ele havia vendido, sem que o mercado soubesse, o equivalente a 11,14% das ações da companhia de petróleo, quase quatrocentos milhões de ações da OGX.

Essa movimentação explicou para Valporto a decepção sofrida, naquele ano, pelos acionistas minoritários da OGX, em dois momentos em que tinham como certa uma alta, ainda que pequena, nas cotações. No primeiro momento, ainda em junho, os investidores notaram que, para cumprir obrigações assumidas no mercado, um número elevado de especuladores seria obrigado a comprar ações da OGX. Por falta de oferta, deveria haver uma alta de preços, que, estranhamente, não aconteceu.

Nesse primeiro semestre, Eike havia vendido algo como 4% das ações da OGX que tinha em casa, aumentando a oferta e, na prática, dando fôlego aos que apostavam contra a alta das ações. O empresário ainda prometeu: "Não houve nem haverá qualquer venda adicional." Mas, como as projeções dos poços da bacia de Campos, não era declaração para se levar a sério.

Foi o que se viu no segundo momento, no início de setembro, quando todo o mercado previa uma alta, devido a necessidades orgânicas de um animal financeiro conhecido como "fundos passivos". Esses fundos de investimento têm seu comportamento determinado pela Bovespa, que, a cada quatro meses, determina uma "carteira teórica", um conjunto de ações representativas do mercado, que esses fundos devem ter aplicado na bolsa. A carteira determina que cada fundo deve ter uma quantidade mínima, em valor, de ações das empresas mais negociadas, uma forma de oferecer aos aplicadores um investimento que segue o índice de ações da Bovespa, refletindo o humor geral do mercado de valores.

Com a perda do valor de cada ação da OGX, os fundos foram obrigados a comprar mais ações para manter o valor da carteira, e setembro de 2013 seria um dos prazos finais para apresentarem essas aplicações para a Bovespa. A queda nos valor unitário das ações da OGX fazia os especialistas preverem demanda para até um bilhão de ações da petroleira, para que o valor nas carteiras dos fundos chegasse ao limite previsto pela bolsa. Era garantia de alta nos preços. Mas Eike, sempre ele, ajudou a romper as expectativas.

A pretexto de fazer caixa para honrar seus compromissos, o acionista controlador da OGX pôs à venda quase 180 milhões de ações entre 29 de agosto e 3 de setembro, o equivalente a quase 5,5% de todas as ações da OGX. Foi o equivalente financeiro a água fria em panela fervendo. Com a colaboração de Eike, quem desejava uma recuperação, ainda que modesta, dos preços das ações, teria de esperar outro momento. "Isso não foi só imoral, foi ilegal", reclama Valporto.

A essa altura, Eike parecia pouco disposto a deter-se por considerações sobre credibilidade. Em outubro de 2012, ao ver que suas ações caíam ao nível próximo ao de janeiro de 2009, um dos piores momentos da companhia, Eike havia impedido a queda com um gesto: em caso de necessidade da OGX, anunciou, ele compraria da empresa US$ 1 bilhão em ações, pagando R$ 6,30 por ação. Os papéis eram negociados, àquela altura, a pouco mais de R$ 4,50; com a intervenção de Eike, animados, os investidores fizeram o preço subir para perto de R$ 5,00.

"Ao conceder essa opção, enfatizo a minha confiança na qualidade do corpo técnico e nos ativos da companhia, bem como nas novas oportunidades que o setor de óleo e gás oferece à OGX", tranquilizou Eike, mostrando que não faltaria apoio financeiro para a custosa campanha exploratória da empresa, necessitada de novos poços para gerar receita e pagar aos credores.

A garantia foi usada pela OGX em suas apresentações. No relatório de atividades do primeiro trimestre de 2013, letras vermelhas asseguravam: "A OGX detém a opção de exigir que seu acionista controlador, Eike Batista, subscreva até US$ 1 bilhão em novas ações ordinárias da companhia ao preço de R$ 6,30 por ação."

Quando a direção da OGX lhe cobrou a fatura, 11 meses depois, Eike, alegando terem mudado as condições originais do trato, lamentou. E recusou. Mas isso merece ser contado com mais detalhes a seguir.

17. A ARTE DE MASTIGAR VIDRO

Acostumado a falar sobre seus planos de expansão de negócios e sua visão de 360 graus, Eike Batista foi obrigado a fazer uma manobra de 180 graus na EBX entre 2012 e 2013. Em vez de ampliar, cortar. Em vez de comprar, vender.

Em 2012, ainda mencionava, como argumento para justificar o otimismo, ter US$ 9 bilhões no caixa de suas empresas, mais que suficientes para enfrentar as desconfianças e dificuldades, que aumentaram naquele ano. No segundo semestre de 2013, Eike era obrigado a apresentar, nos balanços das empresas X negociadas em bolsa, uma dívida que havia subido de R$ 19 bilhões para R$ 22,5 bilhões em três meses — R$ 7 bilhões com vencimento em curto prazo —, e apenas R$ 2,4 bilhões para bancar esses compromissos.

O propulsor que havia levado Eike ao topo da onda dos bilionários agora o puxava para o fundo. A OGX chegara a valer R$ 72 bilhões, em outubro de 2010, o ápice da escalada da EBX. Em janeiro de 2013, valia menos de um quinto dessa fortuna, pouco mais de R$ 13 bilhões. Em lugar do espanto pelas realizações da companhia, analistas apostavam com desalento sobre o momento em que ela entregaria os pontos e pediria na Justiça condições de suspender o pagamento a credores para tentar uma recuperação.

Eike passaria o começo de 2013 às voltas com estratégias para salvar seu grupo, ou pelo menos parte dele. Ainda despertaria simpatias, algumas insólitas.

Em janeiro de 2013, o banco britânico Barclays entrou, com grande atraso, na fila dos analistas que ajudaram a empurrar cada vez mais alto os sonhos de Eike: ao anunciarem que iniciavam suas análises sobre empresas de petróleo e gás na América Latina, os analistas do banco sugeriram, como melhor opção de investimento no setor, as ações da OGX, que avaliavam ter potencial para subir, elevando-se dos quase R$ 5 que valiam na época para R$ 7 até o fim do ano. Como justificativa para a previsão, falavam do bom portfólio de áreas de exploração, a produzir ao longo de 2013, e o fato de a empresa ter aprendido com os erros do passado.

Em abril, foi a própria responsável pela fiscalização do setor de petróleo, a presidente da ANP, Magda Chambriard, quem, em entrevista à jornalista Denise Luna, da *Folha de S.Paulo*, elogiou a OGX, "uma empresa que investe mais do que as outras, até mais do que devia, faz as coisas mais rápido que as outras". A executiva comparou a empresa de Eike à Petrobras, e deu preferência à petroleira X: "Na última reunião de diretoria, vimos os planos de avaliação da Petrobras, que são longos, enquanto que os da OGX levam cinco, oito meses."

Ainda não se sabia que os campos avaliados como comerciais no mês anterior pela OGX seriam declarados inviáveis pouco tempo depois e que o poço que havia despejado petróleo em tempo recorde não tinha reservas para chegar ao fim de 2014. E Magda abria o verbo para defender o empresário: "Gostaria de ter mais 'Eikes' nos leilões; ele, pelo menos, entrega produção."

Avaliação bem diferente reinava entre os sócios minoritários de Eike, que em tumultuada reunião de acionistas, em setembro, ouviriam o desabafo berrado por um deles ao garçom que lhe perguntou se queria café: "Não! Quero petróleo!"

Os sinais de deterioração do grupo EBX já eram evidentes quando, em dezembro de 2012, Eliezer Batista procurou o amigo Eduardo Eugênio Gouvêa Vieira, presidente da Federação das Indústrias do Rio de Janeiro, a Firjan, onde o pai de Eike mantinha uma sala e uma legião de admiradores. Eike estava decidido a buscar alternativas para o grupo, e Gouvêa Vieira, bem-articulado no governo e no setor privado, aparecia a Eliezer como um bom condutor do processo. Faltavam executivos confiáveis para a nova fase da EBX, acreditava Eike.

Em janeiro, Gouvêa Vieira foi nomeado vice-presidente do grupo, uma função honorária, sem poder de fato, e criou um "comitê de gestão". Dele fariam parte figurões do mundo corporativo, entre eles Pedro Aragão, de um dos mais importantes escritórios de advocacia especializados em fusões e aquisições de empresas; Pedro Wongtschowski, conselheiro do grupo Ultra, um dos maiores conglomerados do país, atuante principalmente na área de distribuição de combustíveis; e o ex-presidente do BNDES e do banco UBS Eleazar de Carvalho Filho. A chegada do novo dirigente levantou rumores de que ele entrara no grupo para facilitar as conversas entre Eike e a Petrobras. Mas Gouvêa Vieira dedicou-se a um projeto mais ambicioso: organizar a EBX como uma corporação, subordinando as empresas X, legalmente, a um comando central, que buscaria sócios privados para a gestão.

A experiência com o novo integrante do grupo X foi um novo recorde para Eike: durou apenas cinquenta dias. Eike e Gouvêa Vieira divergiram nas negociações para ceder o controle da MPX ao sócio alemão, a empresa E.On, com apoio do BNDES. E pesou, especialmente, a rejeição de Eike ao plano de transformar a EBX em uma holding, reunindo nela as ações de Eike e das Centennials, com a procura de sócios estratégicos e abertura do capital em bolsa para a busca de novos parceiros.

O mapa de participações cruzadas entre as empresas de Eike era um emaranhado difícil de destrinchar, e seria necessário melhorar a gestão da EBX, especialmente no controle de seu fluxo de caixa, chegou a comentar Gouvêa Vieira com pessoas próximas a Eike.

Em 6 de março, dissolvia-se a parceria da EBX com o presidente da Firjan. E Eike se voltava a um velho conhecido, o também bilionário André Esteves, do BTG Pactual, matemático de formação e agressivo operador de finanças. O BTG Pactual foi encarregado da estratégia de salvação do Império X. Entre os problemas a serem enfrentados estava a relação com o fundo Mubadala, sediado em Abu Dhabi, credor de R$ 2 bilhões, e não sócio da EBX, como se imaginava.

O temperamento forte de Eike já trombara algumas vezes com o de Esteves, que era malvisto no círculo de conselheiros de Eliezer Batista. Mas havia sido Esteves um dos principais sócios na largada da OGX e um dos consultores preciosos durante os outros lançamentos das empresas X na bolsa. Entre a abertura de capital das companhias X e a operação de salvamento do grupo, o ambiente mudara radicalmente.

Era o fim da euforia com o Brasil e os emergentes; a China, que seguia como a maior compradora de produtos básicos brasileiros e ainda avançava, como investidora, em atividades de produção, para garantir suprimento de minério e petróleo, desacelerava seu crescimento e ameaçava reduzir o impulso que garantia à economia mundial. A economia brasileira atolava-se em baixo crescimento e alta inflação, o que obrigaria o governo a retomar a alta de juros — receita sempre indigesta para o mercado de valores porque, em um cenário de aperto, os investidores tendem a correr para títulos da dívida do governo federal, aplicação de rentabilidade mais segura.

Logo se armou uma estratégia pela qual Eike buscaria vender seu controle nas empresas X de maior potencial, usando o dinheiro para abater suas dívidas e reduzir o risco de falência. A situação da OGX e da OSX, porém, foi diagnosticada por Esteves como terminal.

As empresas pré-operacionais de Eike estouraram prazos para entregar aos acionistas os resultados prometidos. O caixa minguado ameaçava deixá-las sem condições de cumprir os ambiciosos planos de investimento. Isso não impedia que investidores de peso vissem potencial nos empreendimentos.

A MPX foi uma das primeiras empresas na linha de reciclagem do grupo X, uma das melhores na prateleira de liquidação de

Eike. Ela chegou a 2013 com algum fôlego, graças a um novo sócio, a E.On, que buscava alternativas ao declinante mercado europeu e fechou negócio ainda no início de 2012 com a companhia do grupo EBX.

A operação de entrada da E.On na empresa de energia de Eike havia resultado na criação da última das empresas X lançadas na bolsa, a CCX, costela retirada da MPX, com direitos de mineração de carvão na Colômbia e projeto para construir um porto e uma ferrovia de 150 quilômetros. Caçula do grupo, a CCX teve história semelhante à de suas irmãs: começou em clima de otimismo triunfante e acabou fora da família.

Nasceu valendo R$ 1 bilhão, em maio de 2012, com direito a declarações de Eike de que sua produção, com carvão de altíssima qualidade, seria equivalente a um terço da produção do minério na Colômbia e três vezes a do Brasil. Laudo da avaliadora Brasil Plural, contratada pela própria empresa, porém, previa que só em 2016 as minas começariam de fato a produzir carvão, e os portos e ferrovias só estariam ativos em 2019. Apesar disso, dirigentes da empresa previam o começo da extração do mineral para o segundo semestre de 2013, e Eike já antevia os mercados para seu produto de altíssima qualidade: "Esse carvão colombiano será enviado para Europa e América do Norte, além de Brasil e Chile", disse, em teleconferência a jornalistas. Quem apostou nessas promessas perdeu dinheiro.

No fim de julho, a CCX divulgava seu balanço, sem carvão e quase sem caixa, com menos de R$ 50 milhões para financiar suas operações. Acabou vendida, em outubro, para a empresa turca Yildirim Holdings, cujo presidente na sucursal colombiana, Alp Malazgirt, já previa, em janeiro, a uma revista especializada: "Colômbia é o novo Brasil." Por R$ 50 milhões foram compradas as minas a céu aberto, e iniciaram-se conversas para adquirir, por R$ 400 milhões, a mina subterrânea, com enormes reservas, caso se comprovassem os dados fornecidos pelo grupo X, em negociações previstas para avançar 2014 adentro. Última a ser criada, a CCX também foi a derradeira a ter definido seu rumo fora da órbita do grupo X, em um ano de negociações e boatos intensos sobre o império decadente de Eike Batista.

Ao iniciar a operação-resgate das empresas X, o BTG Pactual criou um plano pelo qual Eike venderia uma parcela de suas ações da MPX à sócia E.On e lançaria no mercado de ações algo em torno de R$ 1,2 bilhão, permanecendo à frente da companhia. O plano corria o risco de terminar em fiasco nas bolsas. Ao final, os alemães da E.On compraram quase 38% da empresa, e Eike manteve pouco menos de 24%. O BTG Pactual também comprou uma parcela da empresa sob nova direção, o que ajudou os desafetos do financista a alimentarem a intriga de que o banqueiro estava ao lado do empresário apenas para salvar os investimentos que havia feito nas empresas X.

Eike, que chegara a chamar Esteves para ser sócio do que restava de seu grupo, iria, nos meses seguintes, queixar-se de que o banqueiro queria apenas garantir bons negócios para seus fundos de investimento. Dizia que estava sozinho, que não podia mais confiar em ninguém. Esteves, ao firmar o acordo para salvar o grupo X, em março, anunciara a disposição de lhe dar uma linha de crédito de até R$ 1 bilhão, mas a oferta foi cancelada em julho, após seguida deterioração do valor das empresas X nas bolsas e rumores de que a ligação com as empresas de Eike começava a causar dano à imagem do próprio BTG Pactual.

Em agosto, em entrevista à revista *Veja*, o banqueiro defenderia Eike contra acusações de má-fé, adiantaria que "uma ou outra empresa" do grupo não tinha "mais jeito" e confirmaria que os executivos da OGX retardaram a divulgação dos maus resultados na prospecção de petróleo na "esperança de que uma perfuração de última hora pudesse salvar a situação". No mês seguinte, em palestra para investidores em Minas Gerais, comentaria que Eike cometeu "erros grosseiros de análise e avaliação", com projetos "muito grandes, muito complexos (que) demandaram muito capital do mercado financeiro".

Esteves insistia que Eike era "um grande empresário", mas admitia: sua função seria "mitigar os danos dessa derrocada". Os desentendimentos entre ele e Eike sobre os rumos a seguir e a constatação de que a OGX era praticamente irrecuperável e a OSX poderia seguir o mesmo caminho levaram Eike a buscar outros mitigadores de danos. E o empresário recorreu à consultora Angra Partners, especializada em negociações de reestruturação de dívidas e venda de empresas.

No mesmo mês de maio em que Eike decidiu o futuro da MPX com os alemães da E.On, a petroleira OGX conseguia animar o mercado ao entrar cheia de força na 11ª rodada do leilão de áreas de exploração de gás feito pela ANP, com a aquisição de 13 dos lotes postos à venda. Chegou a anunciar que exploraria poços em sociedade, meio a meio, com a MPX, mas faltou fôlego novamente à "mini-Petrobras" do grupo X. Três meses depois, ela devolveu oito dos lotes comprados, inclusive o que pretendia compartilhar com a empresa de energia.

O parentesco com o grupo X constrangia os alemães, que de fevereiro a julho viram a empresa perder 20% de seu valor nas bolsas, apesar de considerada uma das melhores da mal falada família. Em agosto, mês em que as ações continuariam em queda e terminariam 40% abaixo do valor de fevereiro, o presidente do conselho da E.On, Jorgen Kildahl, confirmava ao jornalista Alexandre Rodrigues, da revista *Exame*, que os dirigentes haviam decidido mudar o nome da empresa, para deixar bem claro o divórcio com o império de Eike. E Eike acabava de adotar outra providência, mais prática: levemente estimulado pelos sócios, o criador do grupo X, que ocupara até julho a presidência do conselho de administração da companhia, para alívio dos sócios, pediu para sair do posto.

"A MPX é uma empresa independente, bem-administrada. Faz sentido mudar o nome e ter certeza de que somos percebidos desse jeito", explicava Kildahl à *Exame*, em uma crítica quase explícita ao estilo X de administração. Só em setembro, para deixar para trás suas origens turbulentas, a MPX passava a exigir que a chamassem de Eneva (que desafetos do ex-bilionário espalharam ser uma abreviação para "Eike, never again". No site oficial, a explicação para o nome é bem menos pitoresca: seria a combinação da letra E, de energia, com Neva, "que remete a 'nova'"). Em novembro a Eneva compraria a OGX-Maranhão, parte da petroleira de Eike atuante nos poços de gás explorados no Nordeste — usados nas termelétricas da ex-MPX. Também rebatizaria sua nova afiliada, livrando-se do nome com X, para Parnaíba Gás Natural.

Confirmando as teses de amigos de que a aventura X foi capaz de deixar algum patrimônio ao país, a Eneva, mesmo bastante endividada, não deixava de ser uma empresa de respeito, capaz de fornecer 1,78 GW de energia, com outros 1,1 GW em instalação, algo como 4% do consumo do país, no total. Eike seguiria com 24% das ações da nova empresa. Suas ações estavam amarradas, como garantia, a empréstimos contratados ao Itaú BBA. Mas o anúncio de sua saída do conselho de administração da empresa faria subir as ações na bolsa, em despedida. Estava encerrada a era das previsões deslumbrantes.

Ficou um patrimônio, mas também um desafio para quem o assumisse. Ao chegar a setembro, a Eneva ainda lutava para dar lucro, prejudicada pelo aumento nos preços de combustível e por paralisações em suas usinas; sua dívida estava em cerca de R$ 5,5 bilhões, dos quais R$ 2,5 bilhões vencendo em curto prazo.

Como de praxe em toda a canibalização do grupo X durante 2013, pipocaram notícias na imprensa sobre as tentativas do empresário de vender a participação que lhe restou na MPX/Eneva, o que daria ao futuro comprador assento no controle da companhia.

A japonesa Marubeni Corp., o fundo de investimentos australiano IFM Australian Infrastructure Fund e o fundo de pensões Canada Pension Plan Investment Board foram cogitados entre os possíveis interessados, mas a venda esbarrou nos preços acima do mercado pedidos pelo ex-controlador.

Após abrir mão do controle — e do nome — de sua empresa de energia, Eike buscou comprador para sua "Roterdã dos trópicos", a essa altura desmoralizada pelos atrasos e pela falta de ligação ferroviária com o resto do Brasil. Conseguiu vender a LLX, responsável pelo Porto do Açu, ao grupo americano EIG Global Energy Partners, uma gestora de investimentos com base nos Estados Unidos detentora de participação também na Sete Brasil, empresa de fornecimento de serviços ao setor de petróleo que tem entre os sócios grandes bancos e a Petrobras.

"As negociações vão acelerar, agora que não há mais associação direta com a figura do antigo controlador. Nosso telefone não para de tocar", dizia, entusiasmado, o presidente da EIG, Blair Thomas, em outubro, à jornalista Marina Durão, da Agência Estado, ao falar das expectativas de atrair indústrias ao Porto do Açu. Era uma maneira de despachar Eike para o esquecimento, uma tentativa de disfarçar o fato de que, mesmo com as mudanças, o sr. X manteve ainda 20% das ações da companhia, e seus executivos permaneceram no controle das operações. A venda da LLX marcou o afastamento entre Eike e André Esteves. Desconfiado, o comandante do grupo X fez o negócio sem passar pelo antigo parceiro.

A sinergia entre as empresas X, sempre elogiada por Eike como uma das qualidades de seus empreendimentos, mostrou, durante as tentativas de salvar o grupo, seu lado negativo: com o fiasco da petroleira, afundou-se também o projeto de criar a "Embraer dos mares", seu estaleiro OSX, que, ao ser anunciado, apresentava como trunfo as encomendas "garantidas" de quatro embarcações destinadas à exploração de petróleo pela OGX, e um potencial de R$ 30 bilhões em contratos da empresa-irmã. Em agosto, o encolhimento da OGX provocaria o cancelamento das encomendas, deteriorando a situação do estaleiro.

A OSX, por sua vez, era a empresa-âncora do porto da LLX, uma das primeiras a garantir o aluguel de parte dos 90 mil km^2 da chamada "retroárea" do Açu. Quebrada a cliente OGX, sem necessidade de tanto espaço, a empresa que construiria navios e plataforma para a busca de petróleo de Eike devolveu metade dos seus 3,2 km^2 de terreno alugado à LLX, para economizar uma despesa de cerca de R$ 100 milhões anuais.

Não faltou aviso a Eike de que suas pretensões de armador estavam superdimensionadas. Carlos Bellot, presidente da OSX, em agosto demitido entre os vários executivos degolados na reestruturação do grupo X, chegou a tentar, ainda em janeiro de 2012, trazer o empresário a uma realidade administrável. Olhando a carteira de encomendas da empresa, com mais de vinte navios processadores e armazenadores de petróleo e mais de trinta plataformas fixas, sugeriu reduzir a conta a cerca de um décimo. "Você não devia ser executivo da minha empresa, usa calças curtas", reagiu Eike, humilhando o subordinado em reunião com outros executivos do grupo X — já acostumados, aliás, a esse tipo de reação.

De calças-curtas seria uma boa definição, em 2013, para a situação em que se viram os controladores da OSX.

Já na criação, o estaleiro de Eike foi um sinal dos limites para a magia do então maior bilionário do Brasil. Seu lançamento de ações, em março de 2010, ano do auge do grupo X, teve de início o objetivo de captar até R$ 9 bilhões dos novos investidores, meta logo ajustada para R$ 3 bilhões, devido a sinais de encolhimento do mercado de valores. A empresa conseguiu só R$ 2,4 bilhões e teve de recorrer a empréstimos bancários para fabricar ou arrendar suas plataformas e seus navios de exploração de petróleo.

Nos anos seguintes, esforços para aumentar as encomendas da empresa, como o fornecimento de sondas para a prestadora de serviços Sete Brasil, foram frustrados pela Petrobras, que desaconselhou seus fornecedores a ampliarem investimentos. E a demora em começar a produção fez com que a OSX perdesse contratos com outros clientes do setor privado. A partir de junho de 2012, com o malogro dos poços da OGX, as encomendas do estaleiro de Eike minguaram, a ponto de inviabilizar a companhia. Em novembro de 2013, dias depois do pedido de recuperação judicial da OGX, a OSX era obrigada a tentar evitar a falência pedindo na Justiça um prazo de recuperação para seus negócios.

Antes de ver submergir suas duas empresas do ramo de petróleo, Eike ainda conseguiu pôr a salvo uma terceira companhia X, sua mineradora. Na prática, o que a salvou foi o porto Sudeste, vinculado à companhia, que havia despertado interesse de outras companhias do setor de minério, em busca de alternativas para embarque de seu produto ao exterior. Após meses de negociação, a MMX Porto Sudeste, subsidiária da companhia que controla as instalações portuárias em Itaguaí, no Rio de Janeiro, acabou nas mãos da trading holandesa Trafigura e do fundo de investimentos árabe Mubadala, um dos maiores credores do grupo X. A MMX manteve 35% das ações da antiga subsidiária.

A venda veio em boa hora: em novembro, a MMX seria obrigada a apagar da contabilidade R$ 900 milhões em ativos inexistentes, ao reavaliar suas minas de Serra Azul e Bom Sucesso, em Minas Gerais, que, mais uma vez, mostravam ser bem menos valiosas do que pintavam as fantasias de Eike. Com a venda do controle da MMX Porto Sudeste, em outubro, o empresário transferiu aos compradores mais R$ 1,3 bilhão em dívidas — mantendo ainda, como nas outras firmas, uma participação minoritária. Os novos donos permitiram à MMX pensar em um novo futuro, renegociando dívidas com bancos privados e o BNDES, na expectativa de retomar as obras das instalações portuárias, paralisadas à espera de dinheiro.

Ações da MMX foram transferidas por Eike ao seu credor árabe, o fundo Mubadala, que renegociou em junho seus empréstimos de R$ 2 bilhões com a EBX, recebendo parte em dinheiro e trocando por avais mais confiáveis as garantias, antes vinculadas a empresas X em dificuldades. Cerca de US$ 1,5 bilhão que permaneceram como crédito ao dono da EBX passaram a ter, como garantia, empresas fechadas do grupo, como a IMX, de eventos culturais, e, principalmente, a AUX, dona de uma promissora mina, a La Bodega, na Colômbia.

Notícias de uma possível venda da AUX, com a Bodega de Eike e suas outras minas, fizeram parte, durante 2013, dos boatos que cercaram o desmonte do Império X. Mas, estabelecida no começo da década, em período de forte alta nas cotações do ouro, a AUX certamente daria mais um prejuízo ao empresário caso mudasse de mãos em uma época de queda no valor do metal, em 2013.

A venda do patrimônio que sobrou na MMX passou a ser um dos recursos de Eike para cobrir suas dívidas, cujo tamanho exato é desconhecido, já que ele comprometeu uma parte de suas finanças pessoais para servir de aval a créditos das empresas do grupo. Para a Bloomberg, em cálculo divulgado em novembro, de bilionário, Eike só teria a dívida: mesmo vendendo suas propriedades, ao fim de 2013, o ex-magnata teria um patrimônio negativo, próximo a menos R$ 1 bilhão.

Já não mais o "ícone no mundo dos negócios" descrito em sua autobiografia, Eike Batista passou a uma situação que evoca seus tempos de infância: jogado, sem fôlego, em um ambiente gélido, aprendendo a lutar pela sobrevivência. Em setembro de 2013, em sua entrevista, rompendo o silêncio de meses, ao *Wall Street Journal*, viu-se obrigado a comentar a própria bravata, sobre a invulnerabilidade de seus negócios.

"Essas coisas são, de algum modo, à prova de idiotas, porque você pode vendê-las mesmo num mercado louco", insistiu.

Naquele mês, o *Journal* notaria um novo hábito de Eike, que outros interlocutores do empresário constatariam também em outubro e em novembro: ele estava encantado com o empresário norte-americano Elon Musk, criador da empresa de pagamentos na internet Paypal, da agência de viagens espaciais SpaceX e da montadora de carros elétricos Tesla Motors. O dono do grupo X encomendou um vídeo sobre o empreendedor dos Estados Unidos e passou a mostrá-lo a visitantes, apontando as soluções de Musk para os problemas em suas empresas como exemplo da capacidade de enfrentar dissabores e manter-se em atividade.

"Musk disse que começar uma empresa é como comer vidro; eu estou comendo vidro", disse Eike ao jornal norte-americano. Seria uma boa definição, se ele estivesse iniciando, e não encerrando, sua aventura como o piloto do bólido X.

18. Quanto vale um ex-bilionário

Quanto vale a assinatura de Eike Batista em uma promessa de participação em seus negócios? Para Rodolfo Landim, seu primeiro copiloto na corrida arriscada pelos bilhões, valia R$ 493 milhões. Esse foi o cálculo feito pelos próprios advogados da EBX, do valor da ação contra o ex-patrão Eike Batista, movida pelo primeiro presidente da MMX e da OGX, ao deixar o grupo, em 2009. Landim cobrava a promessa redigida em um bilhete do empresário, de que daria a ele, "cavaleiro do sol eterno", 1% de sua EBX, caso aceitasse embarcar em sua aventura empreendedora. A oferta havia sido feita durante viagem à Europa, num momento de euforia com as ideias do subordinado e formalizada num papel avulso que, para Landim, equivalia a uma nota promissória.

Landim perdeu a ação. Antes, como argumento e represália, Eike revelou, por meio de assessores, o total que, nas contas da EBX, o antigo executivo recebera por seus quatro anos no grupo X: R$ 165.628.144,00. Afirma-se na empresa que outros altos funcionários receberam bem mais, graças à política generosa de divisão de resultados entre a cúpula das companhias de Eike, com regalos em dinheiro e ações que o bilionário costumava tirar do próprio patrimônio. Quando não eram demitidos em algum atrito com o controlador, a maioria dos ex-colaboradores de Eike esperava ter o suficiente e, cansados das cobranças e discussões com o chefe, partiam para outras oportunidades.

O pedido de demissão de Landim e de outros executivos, a primeira grande mudança na cúpula do Império X, teve como gatilho a exigência de Eike, feita no começo de 2009, de que aceitassem reduções em seus bônus e ainda destinassem parte dos ganhos à compra de ações da MMX. A mineradora, àquela altura, enfrentava, com a MPX, quedas severas nas bolsas.

Eike estava preocupado com os efeitos da crise financeira internacional, mas não contou com a solidariedade de seus executivos alimentados a bônus e salários milionários. Naquele ano em que pediu dinheiro, pelo menos sete dos principais subcomandantes do Império X deixaram o barco.

Após tantos meses de convivência e relativa intimidade com Eike, seria difícil que Landim não conhecesse os rompantes emocionais do excêntrico sr. X. Sua decepção não deve ter sido maior que a dos pequenos acionistas da OGX, ao se verem frustrados na promessa do empresário, feita em 2012, de comprar até R$ 1 bilhão da claudicante petroleira, como boia salva-vidas em caso de necessidade.

O anúncio de que estaria disposto a colocar mais R$ 1 bilhão a bordo da OGX para evitar que a companhia ficasse sem recursos em sua ambiciosa campanha de exploração de petróleo gerou confiança; mas, em 6 de setembro de 2013, véspera do Dia da Independência, antevendo o fim do dinheiro em caixa no quarto trimestre e às voltas com um prejuízo do primeiro semestre, próximo a R$ 5 bilhões, os diretores da companhia exigiram o cumprimento do compromisso. A recusa de Eike em aceitar a cobrança deu partida a uma disputa com a própria diretoria que havia nomeado.

Relatos do período que antecedeu a cobrança indicam que houve briga entre os homens de confiança de Eike, uns temendo serem responsabilizados judicialmente pelos acionistas, caso não cobrassem do patrão; outros defendendo mais paciência e busca de alternativas para salvar a OGX, já que estava claro para todos que o empresário não colocaria o dinheiro pedido. Os diretores da OGX exigiam do dono da empresa pelo menos US$ 100 milhões imediatamente para reforçar o caixa.

Pressionado e vendo a fortuna escapar-lhe pela bolsa, Eike argumentou que as condições de mercado haviam mudado e que não tinha a obrigação de cumprir o combinado. Ficou irritadíssimo com os diretores da OGX, nomeados por ele, que lhe cobraram legalmente o dinheiro prometido. Mas chegou a emitir nota negando o conflito, que àquela altura já era comentado no setor financeiro.

"A diretoria da OGX permanece com total confiança do conselho de administração da companhia e de Eike, acionista controlador", dizia a nota divulgada pela EBX, em 13 de setembro. "Não existe qualquer discussão sobre afastamento de qualquer dos seus membros, que continuam empenhando os seus melhores esforços no sentido de levar a OGX a superar o atual período de grandes desafios."

A resistência do empresário em assumir a promessa de salvar a empresa com o próprio dinheiro teria sido, em julho, a razão da saída dos três conselheiros independentes da OGX, teoricamente responsáveis por zelar pela qualidade da gestão da empresa. Não eram conselheiros quaisquer: Eike havia atraído para o órgão responsável por fiscalizar sua gestão figuras ilustres como o ex-ministro da Fazenda Pedro Malan, a ex-ministra do Supremo Tribunal Federal Ellen Gracie e o ex-ministro de Minas e Energia Rodolpho Tourinho Neto. Os três, que, por sua presença, ajudaram a dar credibilidade e influência à OGX nos bons tempos, teriam pedido demissão em julho, ao ver que Eike demorava em passar para o papel o compromisso assumido em 2012. Não quiseram divulgar, porém, as razões da demissão.

Os diretores da OGX que cobraram o chefe, à exceção de um deles, também acabariam fora da OGX até meados de outubro. Durante 2013, as cadeiras nos postos de comando do grupo EBX pareciam portas-giratórias, tamanha a rotatividade. Eike chegou a demitir, por telefone, em meio a uma rodada de negociações com credores no exterior, um diretor que havia nomeado para as tentativas de salvação da petroleira OGX.

O calote pragmático de US$ 1 bilhão decidido pelo ex-controlador do Império X pode ter sido ditado por razões de sobrevivência, mas somou dores de cabeça ao empresário, que terminou o ano fazendo contas de subtração e divisão de seu império com a letra X. Pelo menos dois grupos de acionistas minoritários anunciaram ações contra Eike na tentativa de reaver parte das economias perdidas. O fato de que ele vendeu, por R$ 11 milhões, 177 milhões de ações da empresa entre os dias 28 de agosto e 4 de setembro, dias antes de derrubar as cotações com o anúncio de que não salvaria a empresa com o prometido bilhão, é apontado pelos acionistas como demonstração de má-fé.

O comportamento do empresário engorda os dossiês encaminhados ao Judiciário. A explicação oficial da OGX endossada pelos amigos de Eike é a de que ele tentava obter recursos para pagar a credores, como o fundo árabe Mubadala, quando vendeu uma gorda fatia de suas ações da OGX — discretamente, de início, e em seguida publicamente, como manda a legislação. Ele não deu justificativas, porém, para o fato de que, em seu peculiar pragmatismo, enquanto se desfazia dos papéis, seguia estimulando os crédulos a comprá-los.

No dia 29 de maio, em algumas de suas últimas manifestações no *Twitter*, Eike disse ter acabado de sair de um encontro com dirigentes de uma empresa de aplicativos para celular, a Mobli (que, ironicamente, ganharia como sócio, meses mais tarde, o bilionário Carlos Slim, seu pretenso rival). "Vai bombar!", previa o dono da EBX. "E as empresas X's??? Estão bombando? Eu me preocuparia muito mais com elas", reagiu o usuário Geraldo Serafim.

"Sobe (sic) o que é efeito Hockeystick?", respondeu o empresário, que costumava cometer erros de digitação ao enviar impulsivamente pelo celular suas mensagens ao *Twitter*. Eike sugeria, com a pergunta retórica, que as ações X provavelmente passariam por um processo de recuperação conhecido no mercado de valores em que, após pequena queda, os preços dos papéis sobem rapidamente e criam, nos gráficos de índices, uma pequena reta cadente e outra mais longa dirigida para cima, numa figura semelhante a um taco de hóquei.

Nesse momento, ele já estava vendendo em grande quantidade ações que detinha na OGX, contribuindo para a queda dos preços no mercado. Em seu canal direto com a população, Eike seguiu, até se calar, sem revelar o tamanho dos problemas, propagandeando suas ações e suas empresas. Essas vendas em maio são ainda mais suspeitas por terem antecedido o anúncio de que os poços da OGX não tinham o petróleo prometido aos investidores, coincidência que Eike deverá explicar na Justiça, nos processos movidos pelos minoritários.

Durante sua vida pré-operacional, as empresas EBX acostumaram os observadores do mercado a verem a estranha sucessão de "fatos relevantes", cujas consequências de relevo se limitavam ao efeito anabolizante exercido por eles nos preços das ações. Como em julho de 2012, quando Eike divulgou que pretendia comprar todas as ações da LLX por preço até 25% acima da média dos vinte dias anteriores, fechando seu capital (o que não aconteceu). As ações, que vinham caindo quase 15% nos dias anteriores, deram uma guinada e subiram mais de 8% nos dias seguintes.

Em 28 de novembro, após o fechamento do mercado, a LLX divulgou a informação de que assinara um contrato de trinta anos, renovável por mais trinta, com a multinacional GE Oil & Gas para que a empresa americana ocupasse 322 mil m^2 de área no Porto do Açu, onde instalaria uma fábrica de equipamentos para o setor de petróleo. Mesmo sem detalhes, como o valor do investimento planejado ou a data de começo das obras, o anúncio, no dia seguinte, fez as ações da empresa portuária da EBX subirem 29,3%. A GE nunca chegou a fazer um plano formal para o porto de Eike. Instalou apenas uma placa no local; e, um ano depois, anunciou a instalação de uma fábrica, mas no porto de Recife.

As manifestações de Eike no *Twitter* iam bem além dos "fatos relevantes": além de desmoralizarem as regras da bolsa que regulam as informações transmitidas por dirigentes de companhias, eram um estímulo explícito à compra das ações, sem o necessário alerta contra os evidentes riscos, como determina a norma da Comissão de Valores Mobiliários — que, no entanto, não emitiu nenhum documento para conter a atuação do tagarela empresário nas redes sociais. Só no *Twitter*, o empresário chegou a ter quase 1,4 milhão de seguidores, muitos deles pequenos acionistas que o tratavam como ídolo.

"Ninguém presta mais atenção a nada! Quando mudar vamos ter um efeito manada!", descreveu Eike, encorajando a economista Thereza Fontoura, que acabara de escrever sobre a concessão de licença do terminal de cargas da LLX. Nessa época, ele já se desfazia do equivalente a quase 4% da OGX em vendas discretas na bolsa de valores.

No entanto, a história de bizarrices bursáteis do grupo EBX não se limita às manifestações públicas de seus controladores. Um dos comportamentos mais intrigantes relativos às ações da OGX foi o forte movimento de "aluguel" de ações, que antecedeu o anúncio de que os poços da empresa não continham o óleo que ela anunciara. Especuladores fizeram apostas que pareciam extraordinariamente ousadas prevendo a queda dos preços das ações, semanas antes do anúncio negativo sobre os poços, que afundou as cotações para o inferno dos centavos. A premonição dos especuladores ocorreu num período em que a plebe — assim como um pequeno grupo de analistas — ainda via a OGX com capacidade de gerar receita, se ganhasse tempo e apoio para sua exploração de óleo.

O "aluguel" de ações consiste em uma típica operação especulativa que permite, mesmo a quem não tem papéis de uma empresa, lucrar com as oscilações da ação na bolsa. O especulador faz um contrato com um acionista, que lhe cede temporariamente um lote de ações e o autoriza a negociar com esses papéis por um determinado período. Ao final do prazo, o especulador deve devolver esses papéis ao possuidor original pagando um percentual a mais, de "aluguel", uma espécie de comissão.

Quem aluga as ações acredita que o preço delas vai cair; vende os papéis no mercado imediatamente, na aposta de que, no final do contrato, poderá recomprá-las a um preço tão mais baixo que terá condição de devolvê-las ao dono originário delas, pagar o aluguel e sair com lucro.

Nos meses que antecederam o maior abalo na história da companhia, a revelação de que os poços da OGX não tinham o petróleo que Eike jurava ter, o mercado registrou um movimento incomum, a ponto de a imprensa falar em "farra dos aluguéis". E a bolsa, que fixa uma margem de segurança para esse tipo de negócio, como forma de impor limites à especulação, ainda aumentou esse teto, facilitando operações do tipo.

Os acionistas minoritários, no fim do primeiro semestre de 2013, viram que os especuladores chegavam a oferecer aluguéis acima de 100% do valor das ações. Era uma espécie de venda a descoberto, como um vendedor de diamantes brutos que negocia com as pedras preciosas de outro. E era possível imaginar que, em breve, haveria problemas para os especuladores quando, precisando comprar papéis da OGX para devolver aos donos originais, fossem em grande número às bolsas e encontrassem um mercado de acionistas retraído, disposto a não vender suas ações na esperança de que voltassem a valer mais que uma fração irrisória do que valiam no passado.

Os minoritários previam que os especuladores seriam postos em xeque pelo que os analistas de mercado chamam de "short squeeze", um aperto na oferta de papéis da OGX que empurraria os preços para cima, com a grande procura para cumprir os contratos de aluguel. Casos semelhantes na história das bolsas mundiais geraram prejuízos espantosos, como a do bilionário alemão Adolf

Merkle, que perdeu €$ 500 milhões em especulação com ações da Volkswagem em 2008 e, em janeiro de 2009, abalado também com os efeitos da crise financeira sobre seu império, jogou-se embaixo de um trem, perto de casa, no Sudoeste da Alemanha.

Tamanha era a excitação com os aluguéis da OGX que acionistas como Aurélio Valporto diziam esperar pânico semelhante com especuladores, obrigados a correr para disputar ações mais caras no mercado para cumprir seus compromissos. Mas o que descarrilou foram as expectativas dos minoritários, que acreditavam na recuperação da OGX quando os poços da empresa começassem a jorrar petróleo.

A Bovespa, administradora do mercado de valores, aumentou o limite para o uso de ações alugadas no começo de 2013, de 20% do total de papéis negociados para 30%. Em 9 de maio, quando a alegria provocada por uma boa notícia sobre a OGX levantava o preço das ações, a Bovespa, novamente, dessa vez no meio da sessão — o chamado pregão da bolsa — elevou a 45% do total o limite para aluguéis, aumentando a oferta de ações disponíveis para esse tipo de transação. Naquele dia, a OGX anunciava um acordo de venda de 40% do campo de Tubarão Martelo, o mais promissor da companhia, para a petrolífera malaia Petronas, o que provocou, de imediato, uma alta acima de 9%.

A decisão da Bovespa, facilitando a oferta de ações, disparou uma corrida de especuladores dispostos a pagar mais de 100% de aluguel, para vender imediatamente de volta no mercado mais papéis da OGX. Com esse movimento frenético de compra e venda, em um dia de boa notícia, a petrolífera de Eike terminou valendo quase 9% a menos do que na véspera; suas ações, que no auge haviam alcançado mais de R$ 20, estacionavam no vergonhoso patamar de R$ 2. Menos de dois meses depois, os especuladores recolhiam sua recompensa, quando o mercado descobriu que não havia poços a dar dinheiro à OGX tão cedo, e os papéis alugados passaram a valer centavos. Era possível comprar ações da OGX a preço de chiclete para honrar contratos de aluguel. O negócio com a Petronas, que tanto animara os investidores, seria cancelado pelos malaios, meses mais tarde, devido à crise na OGX.

A sucessão de más notícias e calotes de Eike prosseguiu no segundo semestre de 2013. Em outubro, quem descobria estar com um mico na mão eram investidores estrangeiros que, em 2012, haviam comprado US$ 1 bilhão em títulos da OGX e, no dia 1º daquele mês, esperavam receber um prometido bônus de US$ 45 milhões. A petroleira avisou que devia, mas não tinha como pagar. Um mês depois, pedia concordata, entrando em um processo de recuperação na Justiça pelo qual as dívidas ficariam suspensas enquanto se faziam tentativas de evitar a falência.

A principal dessas tentativas de recuperação, claro, era convencer os credores a abaterem a dívida, trocá-la por ações da companhia ou alguma alternativa que reduzisse o tamanho do débito contratado pela empresa do homem que, em julho de 2013, em carta publicada em dois jornais brasileiros, havia garantido que não deixaria de pagar cada centavo das dívidas que contraía. O ano de 2013 foi de um constrangedor strip-tease da desgraçada fortuna de um homem que dizia estar armado de um poderoso arsenal teórico e acreditava ser o "maior empreendedor do Brasil".

Eike não descartou de imediato suas companhias fechadas, como a IMX, que se tornou sócia do Rock in Rio e do Cirque du Soleil, a AUX, de ouro, e a REX, de empreendimentos imobiliários, até porque boa parte delas foi amarrada a garantias pelos empréstimos que tomou. Mas pôs à venda os hotéis que prometera para a Copa do Mundo e seu projeto para a Marina da Glória; vendeu, aos poucos, as aeronaves que suas empresas X pagavam para o trânsito dos executivos do império e eventualmente para amigos, como o governador do Rio de Janeiro. Retirou o patrocínio garantido desde 2011 ao principal time de vôlei do país, o RJX, do Rio de Janeiro, que, sem o dinheiro de Eike, descartou o X e passou a se chamar RJ. Também ancorou em um depósito, com possibilidade de retalhar em sucata por falta de interessados, o iate Pink Fleet, comprado em 2007, com que sonhou iniciar uma frota de lazer no litoral carioca. Luxuoso e superdimensionado, como muitas das realizações do homem que detestava "puxadinhos", era uma usina flutuante de produção de prejuízo.

Eike conseguiu outro feito inédito nesse processo, o de dar calote em si mesmo: entre os credores da OGX estava o estaleiro OSX, que lhe cobrava R$ 2,6 bilhões pelas encomendas de plataformas de exploração de petróleo. Os outros credores e a direção da OGX admitiam, no máximo, que o débito estaria em torno de R$ 900 milhões. A cobrança da OSX apenas sinalizou o que viria em seguida: a concordata da própria "Roterdã dos trópicos", sem clientes (outras petroleiras, ao verem a crise, também cancelaram encomendas) e sem condições de pagar as contas.

Em novembro, após dar duas chances de pagamento à OSX, o BNDES decidiu pegar seu dinheiro de volta, cobrando do avalista, o banco Votorantim (que tem, entre seus sócios, com 49,9% das ações, o Banco do Brasil), para pagar a conta do empréstimo de R$ 548 milhões feito ao estaleiro. A direção do banco defende até hoje que os projetos do empresário eram sólidos e capazes de lucro, desde que bem-gerenciados. A Caixa Econômica preferiu renegociar o contrato, depois de ter renovada a garantia de outro banco privado, o Santander.

Por via das dúvidas, os compradores das empresas X, como a E.On e o EIG, só fizeram negócio depois de reuniões, no prédio do BNDES, com o presidente do banco, Luciano Coutinho, que lhes garantiu apoio financeiro caso lhe levassem bons projetos de investimento. O Tribunal de Contas da União cobrou do BNDES explicações para as perdas com ações das empresas de Eike na carteira do banco, compradas em momentos de alta no mercado.

As instituições públicas foram uma alavanca providencial para levantar os grandes e problemáticos projetos de Eike. Mas é preciso admitir que o setor privado não ficou atrás.

Na OGX, com empréstimos ligeiramente superiores a R$ 200 milhões cada no primeiro semestre de 2013, os maiores credores foram os bancos Morgan, Santander e Itaú BBA, este último também credor de mais de R$ 500 milhões emprestados à OGX. Na MPX, os credores privados representavam quatro vezes mais créditos que a Caixa Econômica, e, na LLX, os empréstimos do Bradesco representavam 55% do total, quase 80% a mais do que emprestara o BNDES.

No desmonte do seu império, Eike chegou a receber visitas de cortesia de autoridades, como o ministro de Desenvolvimento, Fernando Pimentel; mas, com a crise, houve ordem de Dilma Rousseff para que não se comprometesse o governo com ajuda explícita ao empresário. O apoio ao grupo X, afinal, teria eficácia duvidosa e garantido prejuízo político. Dilma, dizia um assessor, queria salvar o Porto do Açu, por exemplo, considerado uma importante obra de infraestrutura. Mas rejeitou qualquer compromisso com a sobrevivência de Eike. Ainda assim, as negociações de salvamento do grupo X, acompanhadas de perto pelo governo, asseguraram ao empreendedor falido parcelas de suas antigas empresas.

19. Adeus ao X

A saga das empresas X não terá um capítulo final tão cedo. As festas natalinas de 2013 trouxeram a Eike uma boa notícia: o acordo com os credores da OGX para impedir que o processo de recuperação judicial da empresa resultasse em falência. Fechado na noite de 24 de dezembro, o acordo entre mais de uma centena de executivos e advogados da OGX, da OSX e de credores da petroleira deu de presente ao ex-bilionário a troca de US$ 5,8 bilhões em dívidas por participação acionária no empreendimento.

Os credores trocaram as dívidas por 25% da empresa; um grupo menor desses possuidores de bônus de dívida da OGX comprometeu-se a fazer novo investimento, de até US$ 215 milhões, recebendo, em troca, mais 65% do valor da petroleira. Eike ainda saiu das negociações com 9,4% da companhia, somando ações que continuaram em seu nome e sua participação na OSX, que é também um dos credores da OGX. Ganhou, ainda, a garantia de que não lhe cobrarão mais o US$ 1 bilhão que se comprometera a botar para salvar a empresa.

Quem recebeu a negociação como um presente de 1º de abril foram os minoritários, ao ver sua participação de 50% da OGX se transformar em 5% do total de ações. Esses pequenos acionistas passaram a mudança de ano ameaçando levar também os credores à Justiça, por perdoarem, sem autorização, o compromisso de Eike para com a OGX.

Entre perder tudo na falência da OGX e apostar na recuperação, com a exploração dos campos ainda restantes, os credores optaram pela segunda alternativa. Caso o esforço para salvar a OGX fracasse, os investidores que entraram com dinheiro novo no negócio após o acordo de Natal têm garantida a preferência de pagamento. O ano de 2014 nasceu sob a expectativa da produção do campo de Tubarão Martelo, de onde a plataforma FPSO OSX-3 começou, no dia 6 de dezembro, a extrair óleo.

O ano não poderia terminar sem duas mudanças simbólicas: nesse mesmo dia 6, a primeira sexta-feira de dezembro, em assembleia-geral a OGX decidiu se livrar da letra herdada das superstições de Eike Batista e passou a se denominar OGP, de Óleo e Gás Participações. Na semana seguinte, foi a vez da LLX de deixar para trás o X e se tornar Prumo, nome escolhido "por representar este novo momento da empresa, com uma gestão mais pragmática e transparente". Pela transparência da companhia portuária podia-se notar que Eike seguia como maior sócio dos alemães da EIG, com 21% da empresa.

A queda fragorosa do Império X não foi resultado da queda em desgraça de um eleito pelos poderosos, como já se viu na história do capitalismo brasileiro. Ela é um sintoma das fragilidades do sistema financeiro nacional, que deveria propiciar aos empreendedores fontes de financiamento ao abrigo dos humores do Estado, mas segue, em menor escala, sujeito a desvios como o que elevou o sr. X ao topo de um gigantesco castelo de cartas.

Eike não foi o único a aproveitar o mercado de capitais para financiar seus delírios com a confiança alheia. E também não foi o único a fazer sucesso na bolsa com companhias pré-operacionais, sem fonte de receita e movidas a expectativas de produção futura. Mais ainda, as companhias do Império X, além da ajuda oficial e da espantosa incompetência dos órgãos de fiscalização, beneficiaram-se de um fenômeno pouco divulgado, o da mistura de interesses no setor financeiro, em que bancos remunerados de acordo com a valorização das ações de uma empresa são os mesmos que avaliam e recomendam a compra dessas ações.

Fatores como o pequeno número de empresas e setores econômicos na bolsa de valores brasileira colaboram para formação de um ambiente em que os interessados em financiar novas empresas se veem com poucas opções, empurrados a negócios de maior risco. As análises à disposição desses investidores são, em grande parte, fornecidas por instituições no chamado *sell-side*, o lado dos bancos que lucram vendendo as ações. É um sistema favorável à criação de conflitos de interesses nem sempre explícitos a quem entra nesse ambiente.

Durante a jornada do êxito à desgraça do Império X, as análises otimistas foram um combustível constante, que intoxicou pequenos investidores.

Nem sempre está claro para o investidor se o lançamento de ações é uma chance lucrativa para apoiar um empresário necessitado de dinheiro para um bom plano de negócios ou uma brecha usada por pessoas atrás de ganhos fáceis, oferecidos em uma janela de oportunidade criada no mercado. Em 2010 e em 2013, o analista Fernando Bevilacqua e Fanchin, da gestora de investimentos Rio Bravo, fez dois estudos sobre o desempenho das empresas que, desde 2004, se abriram pela primeira vez a acionistas na Bovespa. Concluiu que entrar nessas empresas foi, na maioria dos casos, um mau negócio, especialmente nos casos da firmas pré-operacionais, como as empresas X.

Houve, nesse período, casos bem mais graves, embora menos vistosos que os das companhias de Eike. A empresa de soja Agrenco, por exemplo, estimulada pelo banco lançador de suas ações, o mesmo Credit Suisse de boa parte das empresas X, tomou empréstimos para financiar três usinas de processamento de soja, teve de usar quase dois terços do que captou na bolsa para pagar credores (entre eles o próprio Credit Suisse) e tropeçou nas próprias pernas: quebrava oito meses depois de lançada em bolsa, e seus diretores eram presos por estelionato, lavagem de dinheiro, formação de quadrilha e falsidade ideológica. Outro exemplo tomado por Bevilacqua e Fanchin, o Banco Cruzeiro do Sul, também resultou em fraude, prejuízos milionários e prisão de controladores.

Otimismo excessivo dos relatórios dos bancos, que também lucravam com a emissão das ações, e o mau resultado colhido pelos investidores são características compartilhadas tanto por casos criminosos como os da Agrenco e do Cruzeiro do Sul como por ofertas inicias de ação nas bolsas feitas por empresas sem ficha criminal até hoje. Ao escolher casos de remuneração para acionistas de empresas pré-operacionais, como o grupo X, o analista concluiu que, em média, foram um "péssimo negócio" para os investidores.

A MPX estava entre os três casos selecionados no estudo concluído em maio de 2013: o investidor que comprara ações da empresa de energia de Eike, no lançamento, em 2007, teria perdido 21% de seu dinheiro até a data do estudo. Mas havia casos piores: os compradores das ações lançadas em 2008 pela fabricante de fertilizantes Nutriplant chegaram a maio de 2013 com perdas de 79%; e os que se tornaram acionistas da comercializadora de commodities agrícolas Vanguarda-Agro viram seu dinheiro chegar a 2013 valendo 3% do que haviam investido na abertura da companhia. Todas essas empresas já valiam bem menos do que no lançamento, 12 meses após a abertura na bolsa.

A ambição e a megalomania de Eike apenas criaram uma vitrine de luxo para os riscos a que estão sujeitos os investidores dispostos a acreditar em lendas empresariais sem dar a devida atenção à história e ao comportamento de seus heróis. Elas também mostram a necessidade urgente de maior transparência e controle sobre a movimentação do mercado de capitais brasileiro, fortalecendo os mecanismos de fiscalização e prevenção de desvios.

Ex-vendedor de seguros na juventude, Eike costumava lustrar a imagem das suas empresas mencionando o aval de especialistas, poderosos, e da própria bolsa de valores, que aceitava inscrever as empresas X no chamado Novo Mercado, com regras mais estritas de transparência e de governança. As regras foram insuficientes, e a transparência X revelou ter a qualidade da borra de petróleo encontrada no enganoso poço de Vesúvio, na bacia de Campos.

O homem que fracassou na tentativa de criar uma "mini-Petrobras" e uma "mini-Vale" deixou, com o fiasco, a lição de que, sem mudanças na maneira como se financiam as ousadias dos capitalistas brasileiros, o país não está livre de surgirem, no futuro, outros "mini-Eikes", capazes de danos gigantescos às economias de mini-investidores desmemoriados.

E Eike, como fica? A Bloomberg, que, no começo de 2012 o situava como o oitavo bilionário do mundo e em novembro de 2013 expulsou-o da lista dos cem mais ricos, anunciou após o Ano-Novo que ele havia batido mais um recorde no competitivo mundo das grandes corporações: foi o homem que mais perdeu dinheiro em 2013, com a queima de estimados US$ 12 bilhões durante o ano. Chegou a 2014 com patrimônio líquido negativo, mais dívidas a pagar que dinheiro e propriedades. O recorde anterior pertencia a... Eike Batista, com perdas de US$ 10,1 bilhões em 2012.

A pouca transparência em alguns dos negócios do empresário, como a exata dimensão de suas obrigações com o fundo Mubadala e a real situação de suas empresas de capital fechado, tornam a estimativa da Bloomberg um exercício impreciso. Eike segue como acionista importante na Eneva, na Prumo, na OGP e nas companhias que ainda carregam no nome a marca X de suas ambições, a OSX, a MMX e a CCX. Sua fortuna bilionária, assim como as ambições de se tornar o maior bilionário do mundo e de "matar paulista de inveja" foram reduzidas a pó. Está nas mãos do mercado, e dos credores, o ponto final dessa história. Ou o começo de um novo capítulo.

Editor responsável
Rodrigo Almeida

Produção
Thalita Aragão Ramalho

Produção editorial
Anna Beatriz Seilhe

Preparação de texto
Pedro Staite

Revisão
Mariana Elia

Pesquisa iconográfica
Pedro Krause

Projeto gráfico e diagramação
Lúcio Nöthlich Pimentel

Este livro foi composto em Minion Pro 12/16 e impresso
pela Edigráfica sobre avena 80g/m² para a
Nova Fronteira em 2014.